la creación
literaria

Corriente alterna

por

OCTAVIO PAZ

siglo veintiuno editores, sa
GABRIEL MANCERA 65, MÉXICO 12, D.F.

siglo veintiuno de españa editores, sa
EMILIO RUBÍN 7, MADRID 33, ESPAÑA

siglo veintiuno argentina editores, sa
Av. CÓRDOBA 2064, BUENOS AIRES, ARGENTINA

primera edición, 1967
séptima edición, 1973

impreso y hecho en méxico
printed and made in mexico

Índice

II

III

ADVERTENCIA

La mayoría de los textos que aparecen en este libro fueron publicados en revistas hispanoamericanas y europeas bajo el título general de *Corriente alterna.* Corresponden a dos períodos: uno que va de 1959 a 1961 y otro de 1965 al primer trimestre de 1967. Fue excluido el ensayo sobre Sade porque es parte de otro libro en preparación. Decidí agrupar estas reflexiones sobre la actualidad no por orden cronológico de redacción y publicación, sino en tres partes: la primera, consagrada a la literatura y el arte; la segunda, a ciertos temas contemporáneos (drogas, ateísmos); la tercera, a problemas de moral y política. Espero que, a pesar de su aparente dispersión, sea visible la unidad contradictoria de estos fragmentos; todos ellos apuntan hacia un tema único: la aparición en nuestra historia de otro tiempo y otro espacio. Creo que el fragmento es la forma que mejor refleja esta realidad en movimiento que vivimos y que somos. Más que una semilla, el fragmento es una partícula errante que sólo se define frente a otras partículas: no es nada si no es una relación. Un libro, un texto, es un tejido de relaciones.

O. P.

Delhi, a 10 de marzo de 1967.

I

¿QUÉ NOMBRA LA POESÍA? – FORMA Y SIGNIFICADO – HOMENAJE A ESOPO – LENGUAJE Y ABSTRACCIÓN – UN PINTOR PERUANO – APUNTES SOBRE LA REALIDAD Y EL DESEO – PAISAJE Y NOVELA EN MÉXICO – METAMORFOSIS – INVENCIÓN, SUBDESARROLLO Y MODERNIDAD – LA SEMILLA – PRIMITIVOS Y BÁRBAROS – NATURALEZA, ABSTRACCIÓN, TIEMPO – FIGURA Y PRESENCIA – LOS NUEVOS ACÓLITOS – SOBRE LA CRÍTICA – LA MÁSCARA Y LA TRANSPARENCIA – APARICIONES Y DESAPARICIONES DE REMEDIOS VARO – ANDRÉ BRETON O LA BÚSQUEDA DEL COMIENZO – EL PACTO VERBAL Y LAS CORRESPONDENCIAS – RECAPITULACIONES

¿QUÉ NOMBRA LA POESÍA?

Se ha comparado la poesía con la mística y con el erotismo. Las semejanzas son indudables; no lo son menos las diferencias. La primera y más decisiva es la significación o, mejor dicho, el objeto: aquello que el poeta nombra. La experiencia mística —sin excluir a la de sectas ateas, como el budismo y el jainismo primitivos— implica la noción de un bien trascendental; la actividad poética tiene por objeto, esencialmente, el lenguaje: cualesquiera que sean sus creencias y convicciones, el poeta nombra a las palabras más que a los objetos que éstas designan. No quiero decir que el universo poético carezca de significado o viva al margen del sentido; digo que en poesía el sentido es inseparable de la palabra, es *palabra*, en tanto que en el discurso ordinario, así sea el del místico, el sentido es aquello que denotan las palabras y que está más allá del lenguaje. La experiencia del poeta es ante todo verbal; o si se quiere: toda experiencia, en poesía, adquiere inmediatamente una tonalidad verbal. Es algo común a todos los poetas de todas las épocas pero que, desde el romanticismo, se convierte en lo que llamamos *conciencia* poética: una actitud que no conoció la tradición. Los poetas antiguos no eran menos sensibles al valor de las palabras que los modernos; en cambio, sí lo fueron al del significado. El hermetismo de Góngora no implica una crítica del sentido; el de Mallarmé o el de Joyce es, ante todo, una crítica y, a veces, una anulación del significado. La poesía moderna es inseparable de la crítica del lenguaje que, a su vez, es la forma más radical y virulenta de la crítica de la realidad. El lugar de los dioses o de cualquier otra entidad o realidad externa, lo ocupa ahora la palabra. El poema no tiene objeto o referencia exterior; la referencia de una palabra es otra palabra. Así, el problema de la significación de la poesía se esclarece apenas se repara en que el sentido no está fuera sino dentro del poema: no en lo que dicen las palabras, sino en aquello que *se dicen entre ellas*.

No se puede leer de la misma manera a Góngora y a Mallarmé, a Donne y a Rimbaud. Las dificultades de Góngora son externas: gramaticales, lingüísticas, mitológicas. Góngora no es oscuro: es complicado. La sintaxis es inusitada, veladas las alusiones mitológicas e históricas, ambivalente el significado de cada frase y aun de cada palabra; vencidas estas asperezas y sinuosidades, el sentido es claro. Otro tanto ocurre con Donne, poeta no menos difícil que Góngora y más denso. Las dificultades de Donne son lingüísticas y, asimismo, intelectuales y teológicas. Una vez en posesión de la llave, el poema se abre como un tabernáculo. La comparación no es casual: los mejores poemas de Donne encierran una paradoja carnal, intelectual y religiosa. En los dos poetas las referencias se encuentran fuera del poema: en la naturaleza, la sociedad, el arte, la mitología o la teología. El poeta habla de algo que está fuera del poema: el ojo de Polifemo, la blancura de Galatea, el horror a la muerte, la presencia de una muchacha. La actitud de Rimbaud, en sus textos centrales, es radicalmente distinta. Por una parte, su obra es una crítica de la realidad y de los "valores" que la sustentan o la justifican: cristianismo, moral, belleza; por la otra, es una tentativa por fundar una nueva realidad: una nueva fraternidad, un nuevo erotismo, un hombre nuevo. Todo esto será obra de la poesía, "la alquimia del verbo". Mallarmé no es menos sino más riguroso. Su obra —si es que puede llamarse obra a unos cuantos signos sobre unas cuantas páginas, restos de un viaje y de un naufragio sin paralelo— es más que una crítica y que una negación de la realidad: el reverso del ser. La palabra es el reverso de la realidad: no la nada sino la idea, el signo puro que ya no designa y que no es ni ser ni no-ser. El "teatro espiritual" —la Obra o Palabra— no sólo es el doble del universo: es la verdadera realidad. En Rimbaud y en Mallarmé el lenguaje se interioriza, cesa de designar y no es símbolo ni mención de realidades externas, trátese de objetos físicos o suprasensibles. Para Góngora la mesa es "cuadrado pino" y para Donne la Trinidad cristiana es "bones to philosophy but milk to faith". El poeta moderno no dice al mundo sino a la Palabra sobre la que el mundo reposa:

Elle est retrouvée!
Quoi? L'eternité.
C'est la mer allée
Avec le soleil.

La dificultad de la poesía moderna no proviene de su complejidad —Rimbaud es mucho más *simple* que Góngora o Donne— sino de que exige, como la mística y el amor, una entrega total (y una vigilancia no menos total). Si la palabra no fuese equívoca, diría que la dificultad no es de orden intelectual sino moral. Se trata de una experiencia que implica una negación —así sea provisional, como en la meditación filosófica— del mundo exterior. Para decirlo de una vez: la poesía moderna es una tentativa por abolir todas las significaciones porque ella misma se presiente como el significado último de la vida y el hombre. Por eso es, a un tiempo, destrucción y creación del lenguaje. Destrucción de las palabras y de los significados, reino del silencio; pero, igualmente, palabra en busca de la Palabra. No faltará quien se encoja de hombros ante esta "locura". Sin embargo, desde hace más de un siglo, algunos espíritus solitarios, entre los más altos y ricos de dones que hayan visto ojos de hombre, no han vacilado en consagrar su vida a esta empresa insensata.

FORMA Y SIGNIFICADO

Las verdaderas ideas de un poema no son las que se le ocurren al poeta *antes* de escribir el poema sino las que *después*, con o sin su voluntad, se desprenden naturalmente de la obra. El fondo brota de la forma y no a la inversa. O mejor dicho: cada forma secreta su idea, su visión del mundo. La forma significa; y más: en arte sólo las formas poseen significación. La significación no es aquello que quiere decir el poeta sino lo que efectivamente dice el poema. Una cosa es lo que creemos decir y otra lo que realmente decimos.

HOMENAJE A ESOPO

Todo lo que nombramos ingresa al círculo del lenguaje y, en consecuencia, a la significación. El mundo es un orbe de significados, un lenguaje. Pero cada palabra posee un significado propio, distinto y contrario a los de las otras palabras. En el interior del lenguaje los significados combaten entre sí, se neutralizan y se aniquilan. La proposición: todo es significativo porque todo lenguaje puede invertirse: todo carece de significación porque todo es lenguaje. El mundo es un orbe, etc. ...

LENGUAJE Y ABSTRACCIÓN

Se repite desde hace años que la pintura abstracta ha llegado a su límite: no hay un más allá. No me parece justo: lo que distingue a los grandes movimientos artísticos es su radicalismo, su ir más allá siempre, hasta tocar el fin final, los límites del límite. En ese instante alguien llega, da un salto, descubre otro espacio libre y, de nuevo, tropieza con un muro. Hay que saltarlo, ir más allá. No hay regreso. ¿La abstracción se ha convertido en una nueva academia? No importa: todos los movimientos se vuelven escuelas y todos los estilos maneras. Lo lamentable es terminar en la academia; no lo es convertirla en un punto de partida. Los grandes barrocos y manieristas no negaron el arte de sus predecesores: lo exageraron, fueron más allá. Lo mismo ocurrió con la poesía simbolista: no negó el romanticismo, le dio una conciencia. Después del clasicismo de los primeros abstraccionistas y del romanticismo del "expresionismo-abstracto", nos hace falta un manierismo, el barroco-abstracto.

El verdadero peligro de esterilidad de la pintura abstracta reside en su pretensión de ser un lenguaje sustentado en sí mismo. Absolutamente subjetivo —puesto que es el pintor, y nada más el pintor, el que crea y usa ese lenguaje—, carece de un elemento esencial a todo lenguaje: ser un sistema de signos y símbolos con significaciones comunes para todos aquellos que lo emplean. Si cada uno habla un lenguaje propio, el resultado es la incomunicación, la muerte del lenguaje. Un diálogo entre esquizofrénicos. Los mejores pintores abstraccionistas encontraron una suerte de lenguaje universal al redescubrir ciertas formas arquetípicas y que pertenecen al fondo común y más antiguo de los hombres. Pero ¿se trata de un lenguaje? Más bien diría que estamos frente a un prelenguaje o, si se quiere, ante un metalenguaje. Los pintores abstraccionistas oscilan entre el balbuceo y la iluminación. Aunque desdeñan la comunicación, logran a veces la comunión. Con la poesía ocurre lo contrario: el poeta no tiene más remedio que servirse de las palabras —cada una con un significado semejante para todos— y con ellas crear un nuevo lenguaje. Sus palabras, sin dejar de ser lenguaje —esto es: comunicación— son también otra cosa: poesía, algo *nunca oído, nunca dicho,* algo que es lenguaje y que lo niega y va más allá. La pintura abstracta aspira a ser puro lenguaje pictórico y, así, se rehusa a la impureza esencial de todo lenguaje: la utilización de signos o formas con significados comunes para todos. Se queda más acá o más allá del lenguaje. En un caso desemboca en el silencio y en el otro en el grito: Mondrian o Pollock. Es una tentativa que encierra la negación de lo que afirma. Tal vez en esto resida su grandeza: sólo aquel que no niega su contradicción y la despliega hasta el límite revela su verdadera naturaleza, siempre doble. A partir de esta contradicción y sin negarla, la pintura abstracta podría ir más allá de sí misma y realizarse por la afirmación de aquello que la niega.

UN PINTOR PERUANO

Después de muchos años he vuelto a ver al pintor Fernando de Szyzslo. Hace unos días expuso en una galería de la ciudad algunos de sus últimos cuadros.* Szyzslo es el mejor pintor peruano o, al menos, el más conocido en el extranjero. Fue uno de los iniciadores de la pintura abstracta en Hispanoamérica. Aunque la crítica cerró los ojos —¿los tuvo alguna vez abiertos?— ante su exposición, me dio alegría ver que la noche de la inauguración estaban presentes algunos de nuestros pintores (Soriano, Coronel, Felguerez, Lilia Carrillo). La exposición era para ellos y unos cuantos más. Szyzslo no ha cambiado mucho. Guardo de nuestros años en París —allá logró conquistar la difícil estimación de Hartung— una serie de grabados: *Homenaje a César Vallejo*. Al compararlos con los óleos recientes, encuentro que es más dueño de sí, más libre y osado, pero que sigue siendo el mismo: difícil, austero, violencia y lirismo a un tiempo. Una pintura que no se entrega, replegada sobre su propia intimidad, que desdeña la complicidad sensual y exige al espectador una contemplación más ascética. En México su polo opuesto sería Soriano, todo impulso y efusión, gran surtidor de colores y formas delirantes. No quiero decir que la pintura de Szyzslo sea una pura construcción intelectual, sino que es una lucha entre rigor y espontaneidad. No es sólo un pintor inteligente: es una sensibilidad reflexiva, lúcida. Sus formas, tensas y

* México, 1959.

veloces, a veces son agresivas, crueles; otras, sus colores reconcentrados tienen destellos de salvaje entusiasmo. Vuelo fijo, explosión y reserva. Muchos pintores —estimulados por el ejemplo de Picasso— cambian con frecuencia de manera; Szyzslo no cambia: madura. Avanza hacia dentro de sí mismo.

APUNTES SOBRE LA REALIDAD Y EL DESEO

En los últimos meses del año pasado,* el Fondo de Cultura Económica publicó, en un volumen, las poesías completas de Luis Cernuda. Se trata de la tercera edición de *La realidad y el deseo* (la primera es de 1936; la segunda, de 1940). Cernuda ha sido fiel a sí mismo durante toda su vida y su libro, que ha crecido lentamente como crecen los seres vivos, posee una coherencia interior nada frecuente en la poesía moderna. Pero es tal el número de poemas nuevos, y éstos arrojan una luz tan reveladora sobre los antiguos, que sólo hasta ahora, cuando podemos contemplarla en su totalidad, comenzamos a vislumbrar el significado de su obra. Como el viajero que ve dibujarse poco a poco, a medida que se aproxima a la costa, la verdadera forma de una tierra desconocida, en el espacio de los últimos veinticinco años nuestra generación ha asistido a la paulatina revelación de un continente poético.

* * *

Si se olvidan sus trabajos de crítica literaria y algunas narraciones sueltas —todo ello escrito en función de su poesía— Cernuda es autor de un solo libro. Se necesita una gran fe en uno mismo (o una gran y soberbia desesperación) para jugarse el todo por el todo en una sola carta. Desesperación, fe,

* 1958.

soberbia; palabras contradictorias y que, sin embargo, se juntan naturalmente. Todas ellas dependen de otra que las sostiene en vilo, en una suerte de tenso equilibrio: fatalidad, necesidad. Cernuda es uno de los raros poetas fatales de nuestra época. Escribe porque no tiene más remedio que hacerlo. Para el poeta con destino expresarse es tan natural e involuntario como para nosotros respirar. Un demonio, su conciencia poética, no lo suelta nunca y le exige, ocurra lo que ocurra, que diga lo que tiene que decir. A Cernuda le gusta citar una frase de Heráclito: "Destino es carácter." ¿No podría agregarse que se necesita cierta conciencia del destino para soportar la tensión de un carácter tan riguroso?

* * *

Ejemplos de distinta fidelidad al demonio poético: Éluard, autor de muchos libros de poemas, durante toda su vida escribió un sólo poema y cada uno de sus libros contiene innumerables versiones de ese poema único; Cernuda, autor de un solo libro es poeta de muchos poemas.

* * *

Escribí: continente poético. Quizá la expresión le convenga más a Neruda —por lo que tiene de inmensidad física, de espesura natural y aterradora monotonía geográfica la poesía del chileno. Para Cernuda la geografía cuenta poco y la naturaleza entera, desde el mar y las rocas sin nombre hasta la meseta castellana, está bañada de historia. La obra de Cernuda es una biografía espiritual, es decir, lo contrario de una geografía: un mundo humano, universo en cuyo centro se halla ese personaje —mitad irrisorio, mitad trágico— que es el hombre. Canto y examen, soliloquio y plegaria, delirio e ironía, confesión y reserva, blasfemia y alabanza, todo presidido por una conciencia que desea transformar la experiencia vivida en saber espiritual.

* * *

Con una sola excepción, que yo sepa, la crítica ha callado ante el libro de Cernuda. O lo ha cubierto de elogios vacuos, que es otra manera de callarse. Como ha ocurrido antes con otros grandes poetas, la reserva de la crítica, su desazón e inseguridad, se debe al carácter involuntariamente *moral* de la inspiración de Cernuda. Su libro, claro está, no nos propone una moral pero despliega ante nuestros ojos una visión de la realidad que es un desafío al frágil edificio de lo que llamamos bien y mal. Blake decía que todo verdadero poeta, aún sin saberlo, está de parte del demonio.

* * *

Poeta del amor, Cernuda se parece a Bécquer. Poeta de la poesía, desciende de Baudelaire: la conciencia de la soledad del poeta; la visión de la ciudad moderna y sus poderes bestiales; la dualidad de canto y crítica; en fin, el mismo desesperado y loco afán por alcanzar la felicidad terrestre y la misma certidumbre del fracaso. En Cernuda falta la nota cristiana: la conciencia de la caída, la nostalgia del más allá y el sentido de lo sobrenatural. Hay en cambio —rasgo insólito en la historia de la poesía española, siempre impregnada de cristianismo— una recuperación de la conciencia trágica, es decir, una aceptación de la condición humana sin referencia a ningún trasmundo ultraterreno o histórico. El pesimismo de Cernuda no es una negación de la vida sino una exaltación de sus poderes: "No es el amor quien muere, somos nosotros mismos..." Todo esto no es sino una descripción exterior de la poesía de Cernuda. Quizá lo único que debería decirse de este poeta es que ha escrito algunos de los poemas más intensos, lúcidos y punzantes de la historia de nuestra lengua. Penetran la carne de la realidad como un cuchillo y, simultáneamente, su breve relámpago ilumina la tiniebla del corazón humano. Estos poemas nos ayudan a conocernos y, aún más, a *reconocernos.*

* * *

El libro de Cernuda hace pensar en los poetas latinos. Tienen fama de retóricos y poco originales. No lo creo: sería inútil buscar entre los griegos, con la excepción de Safo, poemas amorosos que posean la entonación moderna de los de Catulo y Propercio. Son los primeros en revelar la naturaleza contradictoria y destructiva del amor. Se dice que en Provenza nace la idea del amor. Es verdad, pero Grecia y Roma (para no hablar del mundo árabe) lo adivinaron. En Grecia aparece como pasión homosexual; en Roma como pasión desdichada. En la poesía de Catulo y Propercio el amor no es una plenitud sino una carencia, un ardor sombrío, rabioso y reflexivo. Pasión que el análisis psicológico humilla doblemente: por desear a un ser abyecto y por el amargo placer que da la satisfacción de ese deseo. Un sentimiento teñido de egoísmo, desprecio al otro y a sí mismo. Celos y sensualidad, exaltación y análisis, idolatría y odio: toda la interminable dialéctica entre placer y humillación de la novela moderna, de Benjamin Constant a Scott Fitzgerald. El amor es un sentimiento que sólo puede nacer ante un ser libre, que puede darnos o retirarnos su presencia. En la antigüedad la mujer podía ser objeto de veneración o deseo, no de amor; diosa o esclava, objeto sagrado o utensilio doméstico, madre o cortesana, hija o sacerdotisa, ni siquiera su cuerpo era suyo: era el doble ambiguo del cosmos, el depositario de las fuerzas benéficas o nefastas del universo. Primero en Alejandría, después y sobre todo en Roma, la mujer inicia la lenta reconquista de sí misma. Más tarde el cristianismo le daría alma y libre albedrío, ya que no libertad corporal. El proceso, que aún no termina, comenzó en Roma: la gran ciudad presintió el amor, el diálogo corporal y espiritual entre dos seres libres. La libertad del siglo XX

¿es una verdadera libertad o la máscara de una nueva esclavitud? No sé. En todo caso, el amor no es la libertad sexual sino la libertad *pasional*: no el derecho a ejercer una función fisiológica sino la libre elección de un vértigo.

* * *

La realidad y el deseo no es un libro premeditado: creció naturalmente hasta convertirse en libro. Por eso no es fácil desprender un fragmento sin desgarrarlo, sin desnaturalizarlo. Por supuesto, no todos los poemas poseen la misma intensidad. Entre 1929 y 1934, en plena juventud, Cernuda descubre simultáneamente el surrealismo y la pasión erótica. Después, su lenguaje pierde tensión y aparece un tono elocuente que poco a poco cubre la verdadera voz poética: el poema como disertación y condenación de nuestra época. El lector le da la razón al moralista pero no tiene más remedio que preguntarse si no hubiera sido mejor decir todo eso en prosa. Triunfa no tanto el prosaísmo del lenguaje hablado, manantial de la poesía moderna, sino el rigor de la prosa escrita. Demasiado atento a su monólogo, tal vez Cernuda no oyó hablar a los otros. A pesar de que se sentía más cerca de los poetas sajones que de los franceses y españoles, también en este sentido su obra continúa la tradición latina. Para mí sus tres libros centrales son *Un río un amor, Los placeres prohibidos* y *Donde habite el olvido.* Los poemas escritos después me gustan menos y sólo unos cuantos me satisfacen totalmente. Temo, sin embargo, ser demasiado tajante: ¿cómo olvidar *Soliloquio del Farero, Por unos tulipanes amarillos, La gloria del poeta, Impresión de destierro, Un español habla de su tierra, Góngora, Limbo* y otros más? En todos ellos hay algo que no encuentro en casi ningún otro poeta de su generación: la conciencia del destino del poeta como un ser aparte y que sólo se afirma por la negación del mundo abyecto que lo rodea. En esto y no en su lenguaje reside la modernidad de su último período. En nuestro tiempo la poesía es crítica y por eso nos parecen anacrónicos tanto los himnos y las maldiciones de los "poetas sociales" como las efusiones líricas de Jiménez (no el Jiménez de la vejez, el admirable poeta de *Espacio,* uno de los grandes poemas de nuestro siglo). Me pregunto si los jóvenes leen a Cernuda como nosotros lo leímos. Me parece imposible que no experimenten la misma sensación —no un deslumbramiento sino algo más raro y precioso: el descubrimiento de un espíritu que se conoce a sí mismo y se afronta, el rigor de una pasión lúcida, una libertad que es simultáneamente rebelión contra el mundo y aceptación de su fatalidad personal. Ninguna consolación, ninguna prédica de buenos sentimientos, ninguna concesión. Y sobre todo: unos cuantos poemas en los que la voz del poeta es la de la poesía misma, poemas de una juventud sin fechas. ¿Es poco? Yo diría que es suficiente. Lo que cuenta no es la extensión: "Más tiempo —decía el mismo Jiménez— no es más eternidad."

PAISAJE Y NOVELA EN MÉXICO*

No sé si los nacionalistas en literatura hayan advertido que nuestras novelas dan una imagen más bien pobre y superficial de la naturaleza mexicana. En cuanto al paisaje urbano: apenas si existe. En cambio, en algunas de las mejores páginas de dos novelistas de lengua inglesa, D. H. Lawrence y Malcolm Lowry, aparecen nuestras montañas y cielos con toda su sombría y delirante grandeza, con toda su inocencia y frescura también. En *La serpiente emplumada* y en otros libros de cuentos y cróni-

* Esta nota fue escrita antes de que se dieran a conocer los nuevos novelistas mexicanos. Otra omisión que lamento: olvidé citar a B. Traven, el gran escritor de lengua inglesa, cuyo tema es el hombre en la naturaleza mexicana.

cas, la prosa de Lawrence refleja los más ligeros e imperceptibles cambios de la luz, la sensación pánica ante la lluvia desencadenada, el horror de la noche del altiplano, la pulsación del cielo a la hora del atardecer, acorde con la respiración del bosque y el latido de la sangre en el cuerpo femenino. En *Under the Volcano* —la terrible novela de Malcolm Lowry— los jardines de Cuernavaca, las flores y las plantas, los lejanos volcanes y la barranca verde y enmarañada —verdadera "boca del infierno"— surgen bañados por una luz de primer día de la creación. ¿Primero o último? Quizá ambas cosas: la novela transcurre el Día de Muertos de 1939 y durante las doce horas de ese día el héroe se pasea por un paisaje alucinado, que es también un laberinto y un purgatorio, seguido por un perro, el acompañante de los muertos según egipcios y aztecas.

El verdadero tema de *Under the Volcano* es la antigua historia de la expulsión del paraíso; el de *La serpiente emplumada*, la construcción de un espacio mágico —es decir, de una naturaleza que ha recobrado su inocencia— para celebrar la reconciliación del cielo y la tierra, del cuerpo y el alma, del hombre y la mujer. La visión de ambos novelistas no se apoya en el paisaje; el paisaje es el que se sustenta en la visión poética. El espíritu sostiene a la piedra y no a la inversa. El paisaje no aparece como fondo o escenario; es algo vivo y que asume mil formas; es un símbolo y algo más que un símbolo: un interlocutor y, en fin, el verdadero protagonista del relato. Un paisaje no es la descripción, más o menos acertada, de lo que ven nuestros ojos sino la revelación de lo que está atrás de las apariencias visuales. Un paisaje nunca está referido a sí mismo sino a otra cosa, a un más allá. Es una metafísica, una religión, una idea del hombre y el cosmos.

Si el tema de Malcolm Lowry es el de la expulsión del paraíso, el de la novela de Juan Rulfo (*Pedro Páramo*) es el del regreso. Por eso el héroe es un muerto: sólo después de morir podemos volver al edén nativo. Pero el personaje de Rulfo regresa a un jardín calcinado, a un paisaje lunar, al verdadero infierno. El tema del regreso se convierte en el de la condenación; el viaje a la casa patriarcal de Pedro Páramo es una nueva versión de la peregrinación del alma en pena. Simbolismo —¿inconsciente?— del título: Pedro, el fundador, la piedra, el origen, el padre, guardián y señor del paraíso, ha muerto; Páramo es su antiguo jardín, hoy llano seco, sed y sequía, cuchicheo de sombras y eterna incomunicación. El Jardín del Señor: el Páramo de Pedro. Juan Rulfo es el único novelista mexicano que nos ha dado una imagen —no una descripción— de nuestro paisaje. Como en el caso de Lawrence y Lowry, no nos ha entregado un documento fotográfico o una pintura impresionista sino que sus intuiciones y obsesiones personales han encarnado en la piedra, el polvo, el pirú. Su visión de este mundo es, en realidad, visión de *otro mundo.*

METAMORFOSIS

Apuleyo nos cuenta la de Lucio en asno; Kafka la de Gregorio Samsa en cucaracha. Conocemos el pecado de Lucio: su afición por la hechicería y la concupiscencia; ignoramos cuál fue la falta de Samsa. Tampoco sabemos quién lo castiga: su juez no tiene nombre ni rostro. Convertido en asno, Lucio recorre la Grecia entera y le suceden mil cosas maravillosas, terribles o cómicas. Vive entre bandidos, asesinos, esclavos, terratenientes feroces y campesinos igualmente crueles; su lomo transporta el altar de una diosa oriental, servida por sacerdotes invertidos, ladrones y aficionados a la flagelación; varias veces está a punto de perder la virilidad, lo que no le impide tener amores con una señora rica, hermosa y ardiente; pasa temporadas de hambre y otras de hartura... A Gregorio Samsa no le ocurre nada: su horizonte son los cuatro muros sórdidos de una casa sórdida. A pesar de los palos, la salud jamás abandona al asno; la cucaracha está más allá de salud o enfermedad: su estado es la abyección. Lucio es sentido común y truculencia mediterráneos; gastronomía y sensualidad teñida de sadismo; elocuencia grecolatina y misticismo oriental. El Falo y la Idea. Todo culmina en la visión gloriosa de Isis, la madre universal, una noche frente al mar. Para Gregorio Samsa el fin es la escoba doméstica que barre el suelo de su cuarto. Apuleyo: el mundo visto y juzgado por un asno; Kafka: la cucaracha no juzga al mundo, lo sufre.

INVENCIÓN, SUBDESARROLLO, MODERNIDAD

Para nosotros el valor de una obra reside en su novedad: invención de formas o combinación de las antiguas de una manera insólita, descubrimiento de mundos desconocidos o exploración de zonas ignoradas en los conocidos. Revelaciones, sorpresas: Dostoievski penetra en el subsuelo del espíritu, Whitman nombra realidades desdeñadas por la poesía tradicional, Mallarmé somete el lenguaje a pruebas más rigurosas que las de Góngora e inventa el poema crítico, Joyce hace del idioma una epopeya y de un accidente lingüístico un héroe (Tim Finnegan es la caída y la resurrección del inglés y de todos los lenguajes), Roussel convierte la charada en poema... Desde el romanticismo la obra ha de ser única e inimitable. La historia del arte y la literatura se despliega como una serie de movimientos antagónicos: romanticismo, realismo, naturalismo, simbolismo. Tradición no es continuidad sino ruptura y de ahí que no sea inexacto llamar a la tradición moderna: tradición de la ruptura. La Revolución francesa sigue siendo nuestro modelo: la historia es cambio violento y ese cambio se llama progreso. No sé si estas ideas sean aplicables al arte. Podemos pensar que es mejor conducir un automóvil que montar a caballo, pero no veo cómo podría decirse que la escultura egipcia es inferior a la de Henry Moore o que Kafka es superior a Cervantes. Creo en la tradición de la ruptura y no niego al arte moderno; afirmo que utilizamos nociones dudosas para comprenderlo y juzgarlo. Los cambios artísticos no tienen, en sí mismos, ni valor ni significación; la *idea* de cambio es la que tiene valer y significación. De nuevo: no por sí misma sino como agente o inspiradora de las creaciones modernas. La imitación de la naturaleza y de los modelos de la antigüedad —la idea de imitar, más que el acto mismo— alimentó a los artistas del pasado; después, durante cerca de dos siglos, la modernidad —la idea de la creación original y única— nos nutrió. Sin ella no existirían las obras más perfectas y duraderas de nuestro tiempo. Lo que distingue a la modernidad es la crítica: lo nuevo se opone a lo antiguo y esa oposición es la *continuidad* de la tradición. La continuidad se manifestaba antes como prolongación o persistencia de ciertos rasgos o formas arquetípicas en las obras; ahora se manifiesta como negación u oposición. En el arte clásico la novedad era una variación del modelo; en el barroco, una exageración; en el moderno, una ruptura. En los tres casos la tradición vivía como una relación, polémica o no, entre lo antiguo y lo moderno: el diálogo de las generaciones no se rompía.

Si la imitación se vuelve simple repetición, el diálogo cesa y la tradición se petrifica; y del mismo modo, si la modernidad no hace la crítica de sí misma, si no se postula como ruptura y sólo es una prolongación de "lo moderno", la tradición se inmoviliza. Esto último es lo que sucede con gran parte de la llamada "vanguardia". La razón es clara: la idea de modernidad empieza a perder su vitalidad. La pierde porque ya no es una crítica sino una convención aceptada y codificada. En lugar de ser una herejía como en el siglo pasado y en la primera mitad del nuestro, se ha convertido en un artículo de fe que todos comparten. El Partido Revolucionario Institucional —ese monumental hallazgo lógico y lingüístico de la política mexicana— es un rótulo que podría designar a una buena parte del arte contemporáneo. Desde hace más de quince años el espectáculo —especialmente el de la pintura y la escultura— es más bien cómico; aunque los "movimientos" se suceden unos a otros con gran velocidad, toda esa agitación de ardillas puede reducirse a esta fórmula: la aceleración de la repetición. Nunca se había imitado con tal frenesí y descaro —en nombre de la originalidad, la invención y la novedad. Para los antiguos la imitación no sólo era un procedimiento legítimo sino un deber; sin embargo, la imitación no impidió la aparición de obras nuevas y realmente originales. El artista vive en la contradicción: quiere imitar e inventa, quiere inventar y copia. Si los artistas contemporáneos aspiran a ser originales, únicos y nuevos deberían empezar por poner entre paréntesis las ideas de originalidad, personalidad y novedad: son los lugares comunes de nuestro tiempo.

* * *

Algunos críticos mexicanos emplean la palabra "subdesarrollo" para describir la situación de las artes y las letras hispanoamericanas: nuestra cultura está "subdesarrollada", la obra de fulano rompe el "subdesarrollo de la novelística nacional", etc. Creo que con esa palabra aluden a ciertas corrientes que no son de su gusto (ni del mío): nacionalismo cerrado, academismo, tradicionalismo, etc. Pero la palabra "subdesarrollo" pertenece a la economía y es un eufemismo de las Naciones Unidas para designar a las naciones atrasadas, con un bajo nivel de vida, sin industria o con una industria incipiente. La noción de "subdesarrollo" es una excrecencia de la idea de progreso económico y social. Aparte de que me repugna reducir la pluralidad de civilizaciones y el destino mismo del hombre a un solo modelo: la sociedad industrial, dudo que la relación entre prosperidad económica y excelencia artística sea la de causa y efecto. No se puede llamar "subdesarrollados" a Kavafis, Borges, Unamuno, Reyes, a pesar de la situación marginal de Grecia, España y América Latina. La prisa por "desarrollarse", por lo demás, me hace pensar en una desenfrenada carrera para llegar más pronto que los otros al infierno.

* * *

Muchos pueblos y civilizaciones se llamaron a sí mismos con el nombre de un dios, una virtud, un destino, una fraternidad: Islam, judíos, nipones, tenochcas, arios, etc. Cada uno de esos nombres es una suerte de piedra de fundación, un pacto con la permanencia. Nuestro tiempo es el único que ha escogido como nombre un adjetivo vacío: moderno. Como los tiempos modernos están condenados a dejar de serlo, llamarse así equivale a no tener nombre propio.

* * *

La idea de la imitación de los antiguos es una consecuencia de la visión del suceder temporal como degeneración de un tiempo primordial y perfecto. Es lo contrario de la idea del progreso: el presente es insustancial e imperfecto frente al pasado y el mañana será el fin del tiempo. Esta concepción postula, por una parte, la virtud regeneradora del pasado; por la otra, contiene la idea del regreso a un tiempo original —para recomenzar el ciclo de la decadencia, la extinción y el nuevo comienzo. El tiempo se gasta y, asimismo, se reengendra. De uno y otro modo el pasado es el modelo del presente: imitar a los antiguos y a la naturaleza, modelo universal que contiene en sus formas a todos los tiempos, es un remedio que demora el proceso de la decadencia. La idea de la modernidad es hija del tiempo rectilíneo: el presente no repite el pasado y cada instante es único, diferente y autosuficiente. La estética de la modernidad, como lo vio uno de los primeros en formularla: Baudelaire, no es idéntica a la noción del progreso: es muy difícil —y aun grotesco— afirmar que las artes progresan. Pero modernidad y progreso se parecen en ser manifestaciones de la visión del tiempo rectilíneo. Hoy ese tiempo se acaba. Asistimos a un fenómeno doble: crítica del progreso en los países progresistas o desarrollados y, en el campo del arte y la literatura, degeneración de la "vanguardia". Lo que distingue al arte de la modernidad del arte de las otras épocas es la crítica —y la "vanguardia" ha cesado de ser crítica. Su negación se neutraliza al ingresar en el circuito de producción y consumo de la sociedad industrial, ya sea como *objeto* o como *noticia*. Por lo primero, la verdadera significación del cuadro o la escultura es el *precio*; por lo segundo, lo que cuenta no es lo que dice el poema o la novela sino lo que *se dice* sobre ellos, un decir que se disuelve finalmente en el anonimato de la publicidad.

Otro arte despunta. La relación con la idea del tiempo rectilíneo empieza a cambiar y ese cambio será aún más radical que el de la modernidad, hace dos siglos, frente al tiempo circular. Pasado, presente y futuro han dejado de ser valores en sí; tampoco hay una ciudad, una región o un espacio privilegiados. Las cinco de la tarde en Delhi son las cinco de la mañana en México y medianoche en Londres. El fin de la modernidad es, asimismo, el fin del nacionalismo y de los "centros mundiales de arte". Escuelas de París o Nueva York; poesía inglesa, novela rusa o teatro singalés; modernismo o vanguardia —reliquias del tiempo lineal. Todos hablamos simultáneamente, si no el mismo idioma, el mismo lenguaje. No hay centro y el tiempo ha perdido su antigua coherencia: este y oeste, mañana y ayer se confunden en cada uno de nosotros. Los distintos tiempos y los distintos espacios se combinan en un ahora y un aquí que está en todas partes y sucede a cualquier hora. A la visión diacrónica del arte se superpone una visión sincrónica. El movimiento empezó cuando Apollinaire intentó la conjunción de varios espacios en un poema; Pound y Eliot hicieron lo mismo con la historia, al incorporar en sus textos otros textos de otros tiempos y de otras lenguas. Estos poetas creían que así eran modernos: su tiempo era la suma de los tiempos. En realidad iniciaban la destrucción de la modernidad. Ahora el lector y el oyente participan en la creación del poema y, en el caso de la música, el ejecutante también participa del albedrío del compositor. Las antiguas fronteras se borran y reaparecen otras; asistimos al fin de la idea del arte como contemplación estética y volvemos a algo que había olvidado Occidente: el renacimiento del arte como acción y representación colectivas y el de su complemento contradictorio, la meditación solitaria. Si la palabra no hubiese perdido su significado recto, diría: un arte espiritual. Un arte mental y que exigirá al lector y al oyente la sensibilidad y la imaginación de un ejecutante que, como los músicos de la India, sea, asimismo, un creador. Las obras del tiempo que nace no estarán regidas por la idea de la sucesión lineal sino por la de combinación: conjunción, dispersión y reunión de lenguajes, espacios y tiempos. La fiesta y la contemplación. *Arte de la conjugación.*

LA SEMILLA

Las obras de las grandes civilizaciones históricas, sin excluir a las de la América precolombina, pueden despertar en nosotros admiración, entusiasmo y aun arrobo, pero nunca nos impresionan como un arpón esquimal o una máscara del Pacífico. Digo *impresionan* no sólo en el sentido de ser algo que nos causa una emoción sino en el de la "huella o marca que una cosa deja en la otra al apretarla". El contacto es físico y la sensación se parece a la congoja. El espacio exterior o interior, el más allá o el más acá, se manifiesta como peso y nos oprime. La obra es un bloque de tiempo compacto, tiempo que no transcurre y que, a pesar de ser intangible como el aire o el pensamiento, pesa más que una montaña. ¿Es la antigüedad, la carga de milenios acumulada en un poco de materia? No lo creo. Las artes de los llamados primitivos (hay que resignarse a usar ese término) no son las más antiguas. Aparte de que muchos de esos objetos fueron creados apenas ayer, no me atrevería a llamar primitivo al arte más antiguo de que tenemos noticia: el del período paleolítico. Los animales pintados en las cavernas de España, Francia y otros lugares se parecen, si tienen parecido con algo, a la gran pintura figurativa que decora los muros de templos y palacios de las épocas clásicas. Y no sólo por su forma sino por su función: la hipótesis que veía en esas figuras representaciones mágicas, alusiones a ritos de caza, cede hoy el sitio a la idea de que se trata de una pintura religiosa, a un tiempo naturalista y simbólica. Para un especialista como André Leroi-Gourham esas cavernas son una suerte de catedrales del hombre del paleolítico. Tampoco me parecen primitivas las obras de los grandes centros del neolítico en Asia y Europa y sus correspondientes (Tlatilco y otros sitios) en Mesoamérica. Si el acuerdo entre el hombre y el mundo y entre el hombre y los hombres fue una realidad y no un sueño de Rousseau, las figurillas femeninas del neolítico encarnan ese instante dichoso. No, el tiempo de que son cifra viviente las creaciones de los primitivos no es la antigüedad; mejor dicho, esas obras revelan otra antigüedad, un tiempo anterior a la cronología. Anterior a la idea misma de antigüedad: el verdadero tiempo anterior, aquel que siempre está *antes*, cualquiera que sea el momento en que acaece. Una muñeca hopi o una pintura navajo no son más antiguas que las cuevas de Altamira o Lascaux: son *anteriores*.

La obra del primitivo revela el tiempo de antes. ¿Cuál es ese tiempo? Es casi imposible describirlo con palabras y conceptos. Yo diría: es la metáfora original. La semilla primera en la que todo lo que será más tarde la planta —raíces, tallo, hojas, frutos y la final pudrición— vive ya con una vida no por futura menos presente. El tiempo de antes es el de la inminencia de un presente desconocido. Y más exactamente: es la inminencia de lo desconocido —no como presencia sino como expectación y amenaza, como vacío. Es la irrupción del ahora en el aquí, el presente en toda su actualidad instantánea y en toda su virtualidad vertiginosa y agresiva: ¿qué esconde este minuto? El presente se revela y oculta en la obra del primitivo como en la semilla o en la máscara: es lo que es y lo que no es, la presencia que está y no está ante nosotros. Este presente nunca sucede en el tiempo histórico o lineal; tampoco en el religioso o cíclico. En el tiempo profano y en el sagrado los intermediarios —sea el dios o el concepto, la fecha mítica o la manecilla del reloj— nos preservan del zarpazo del presente. Entre nosotros y el tiempo bruto hay algo o alguien que nos defiende: el calendario abre una vía en la espesura, hace navegable la inmensidad. La obra del primitivo niega la fecha o, más bien, es anterior a toda fecha. Es el tiempo anterior al antes y al después.

La semilla es la metáfora original: cae en el suelo, en una hendidura del terreno, y se nutre de la sustancia de la tierra. La idea de caída y la de espacio desgarrado son inseparables de nuestra imagen de la semilla. Si pensamos el tiempo animal como un presente sin fisura —todo es un ahora inacabable— el tiempo humano se nos aparece como un presente escindido. Separación, ruptura: el ahora se abre en antes y después. La hendidura en el tiempo anuncia el comienzo del reinado del hombre. Su manifestación más perfecta es el calendario; su objeto no es tanto dividir el tiempo como trazar puentes entre el precipicio del ayer y el del mañana. El calendario nombra al tiempo y así, ya que no puede dominarlo del todo, *aleja* al presente. La fecha encubre el instante original: ese momento en que el primitivo, al sentirse fuera del tiempo animal o natural, se palpa como extrañeza y caída en un ahora literalmente insondable. A medida que el hombre se interna en su historia, la hendidura se hace más grande y más honda. Calendarios, dioses y filosofías caen, uno a uno, en el gran agujero. Suspendidos sobre el hoyo, hoy la caída nos parece inminente. Nuestros instrumentos pueden medir el tiempo pero nosotros ya no podemos pensarlo: se ha vuelto demasiado grande y demasiado pequeño.

La obra del primitivo nos fascina porque la situación que revela es análoga, en cierto modo, a la nuestra: el tiempo sin intermediarios, el agujero temporal sin fechas. No tanto el vacío como la presencia de lo desconocido, inmediato y brutal. Durante milenios lo desconocido tuvo un nombre, muchos nombres: dioses, cifras, ideas, sistemas. Hoy ha vuelto a ser el agujero sin nombre, como antes de la historia. El principio se parece al fin. Pero el primitivo es un hombre menos indefenso, espiritualmente, que nosotros. Apenas cae en el hoyo, la semilla rellena la hendidura y se hincha de vida. Su caída es resurrección: la desgarradura es cicatriz y la separación, reunión. Todos los tiempos viven en la semilla.

Un himno funerario pigmeo —para mi gusto de una hermosura más tensa que gran parte de nuestra poesía clásica— expresa mejor que cualquier disquisición esta visión global en la que caída y resurrección son simultáneas:

> El animal nace, pasa, muere,
> y es el gran frío,
> el gran frío de la noche, lo negro.

El pájaro pasa, vuela, muere.
Y es el gran frío,
el gran frío de la noche, lo negro.

El pez huye, pasa, muere.
Y es el gran frío,
el gran frío de la noche, lo negro.

El hombre nace, come, duerme.
Y es el gran frío,
el gran frío de la noche, lo negro.

El cielo se enciende, los ojos se apagan,
brilla el lucero.
Abajo el frío, la luz arriba.

Pasó el hombre, el preso está libre,
se disipó la sombra...

PRIMITIVOS Y BÁRBAROS

El poema o la escultura del primitivo es la semilla henchida, la plétora de formas: nudo de tiempos, lugar de reunión de todos los puntos del espacio. Me pregunto si la famosa escultura de Coatlicue que se encuentra en nuestro Museo Nacional, enorme piedra repleta de símbolos y atributos, no merecería el calificativo de primitiva —aunque pertenezca a una época histórica bien determinada. No: se trata de una obra bárbara, como muchas de las que nos dejaron los aztecas. Bárbara porque no tiene la unidad del objeto primitivo, que nos presenta la realidad contradictoria como una totalidad instantánea, según se ve en el poema pigmeo; bárbara, asimismo, porque ignora la pausa, el espacio vacío, la transición entre un estado y otro. Lo que distingue al arte clásico del primitivo es la intuición del tiempo no como instante sino como sucesión, simbolizada en la línea que encierra una forma sin aprisionarla: pintura gupta o renacentista, estatuaria egipcia o huasteca, arquitectura griega o teotihuacana. No olvido que la Coatlicue, más que una forma sensible, es una idea petrificada. Si la vemos como discurso en piedra, simultáneamente himno y teología, su rigor puede parecernos admirable. Nos impresiona como haz de significados, nos deslumbra por su riqueza de atributos e inclusive su pesadez geométrica, no exenta de grandeza, puede aterrorizarnos u horrorizarnos —función cardinal de la presencia sagrada. Imagen religiosa, Coatlicue nos anonada. Si la *vemos realmente*, en lugar de pensarla, nuestro juicio cambia. No es una creación sino una construcción. Los distintos elementos y atributos que la componen no se funden en una forma. Esa masa es una superposición; más que un amontonamiento es una yuxtaposición. Ni semilla ni planta: ni primitiva ni clásica. Tampoco es barroca. El barroco es el arte que se refleja a sí mismo, la línea que se acaricia o se desgarra, algo así como el narcisismo de las formas. Voluta, espiral, juego de espejos, el barroco es un arte temporal: sensualidad y reflexión, arte con que se engaña el desengañado. Abigarrada, congestionada, la Coatlicue es obra de bárbaros semicivilizados: quiere decirlo todo y no repara en que la mejor manera de decir ciertas cosas es callarlas. Desdeña el valor expresivo del silencio: la sonrisa del griego arcaico, los espacios desnudos de Teotihuacán, la línea danzante de El Tajín. Rígida como un concepto, ignora la ambigüedad, la alusión, el decir indirecto.

La Coatlicue es una obra de teólogos sanguinarios: pedantería y ferocidad. En este sentido es plenamente moderna. También ahora construimos objetos híbridos que, como la Coatlicue, son meras yuxtaposiciones de elementos y formas. Esta tendencia, hoy triunfante en Nueva York y que se extiende por todo el mundo, tiene un doble origen: el *collage* y el objeto dadaísta. Pero el *collage* pretendía ser fusión de materias y formas dispersas: una metáfora, una imagen poética; y el objeto dadaísta se proponía arruinar la idea de utilidad en las cosas y la de valor en las obras artísticas. Al concebir al objeto como algo que se autodestruye, Dadá erige lo *inservible* como el anti-valor por excelencia y así no sólo arremete contra el objeto sino *contra el mercado*. Hoy los epígonos deifican el objeto y su arte es la consagración del artefacto. Las galerías y museos de arte moderno son las capillas del nuevo culto y su dios se llama la *cosa*; algo que se compra, se usa y se desecha. Por obra de las leyes del mercado, la justicia se restablece y los productos artísticos corren la misma suerte que los demás objetos mercantiles: gastarse sin nobleza. La Coatlicue no se gasta. No es un objeto sino un concepto pétreo, una idea terrible de la divinidad terrible. Advierto su barbarie, no niego su poderío. Su riqueza me parece abigarrada pero es verdadera riqueza. Es una diosa, una gran diosa.

¿Podemos escapar de la barbarie? Hay dos clases de bárbaros: el que sabe que lo es (un vándalo, un azteca) y pretende apropiarse de un estilo de vida culto; y el civilizado que vive un "fin de mundo" y trata de escaparse mediante una zambullida en las aguas del salvajismo. El salvaje no sabe que es salvaje: la barbarie es la vergüenza o la nostalgia del salvajismo. En ambos casos, su fondo es la inautenticidad. Un arte realmente moderno sería aquel que, lejos de enmascarar el vacío, lo manifieste. No el objeto-máscara sino la obra abierta, desplegada como un abanico. ¿No fue esto lo que quiso el cubismo y, más radicalmente, Kandinsky: la revelación de la esencia? Para el primitivo la máscara tiene por función revelar y ocultar una realidad terrible y contradictoria: la semilla que es vida y muerte, caída y resurrección en el ahora insondable. Hoy la máscara no esconde nada. Quizá en nuestra época el artista no puede convocar la presencia. Le queda el otro camino, abierto por Mallarmé: manifestar la ausencia, encarnar el vacío.

"De la imitación de la naturaleza a su destrucción": tal podría ser el título de una historia del arte occidental. El más vital de los artistas modernos, Picasso, ha sido quizá el más sabio: si no podemos escapar de la naturaleza como lo intentaron, sin lograrlo, algunos de sus sucesores y varios de sus contemporáneos, al menos podemos desfigurarla, destruirla. Se trata, en el fondo, de un nuevo homenaje. Nada agrada más a la naturaleza, dijo Sade, que los crímenes con que pretendemos ultrajarla. En ella creación y destrucción son lo mismo. La cólera, el placer, la enfermedad o la muerte someten la figura humana a cambios no menos terribles (o cómicos) que las mutilaciones, deformaciones y estilizaciones en que se complace el genio encarnizado de Picasso.

* * *

La naturaleza no conoce la historia pero en sus formas viven todos los estilos del pasado, el presente y el porvenir. En unas rocas del valle de Cabul vi el nacimiento, el apogeo y el fin del estilo gótico. En un charco verdoso —piedrecillas, plantas acuáticas, batracios, monstruos diminutos— reconocí al mismo tiempo el Bayon de Angkor y una época de Max Ernst. La forma y disposición de los edificios de Teotihuacán son una réplica del Valle de México pero ese paisaje es también una prefiguración de la pintura Sung. El microscopio me descubre que en ciertas células yacía ya la fórmula de los *tankas* tibetanos. El telescopio me enseña que Tamayo no sólo es un poeta sino también un astrónomo. Las nubes blancas son las canteras de griegos y árabes. Me detengo ante la *plata encantada,* trozo de obsidiana recubierto de una sustancia vítrea de color blanco nacarado: Monet y su descendencia. Hay que confesarlo: la naturaleza acierta más en la abstracción que en la figuración.

* * *

La pintura abstracta moderna se ha manifestado de dos modos: búsqueda de las esencias (Kandinsky, Mondrian) o naturalismo de los llamados expresionistas angloamericanos.* Los padres de la tendencia querían salir de la naturaleza, crear un mundo de formas puras o reducir todas las formas a sus esencias. Los angloamericanos no se inspiraron en la naturaleza pero decidieron obrar como ella. El gesto o acto de pintar es el doble, más o menos ritual, del fenómeno natural. La pintura es *como* la acción del sol, el agua, la sal, el fuego o el tiempo sobre las cosas. Pintura y fenómeno natural son en cierta manera un *accidente*: el choque imprevisto de dos o más series de acontecimientos. Muchas veces el resultado es notable: esos cuadros son fragmentos de materia viva, trozos de cosmos desollados o en ebullición. Sin embargo, es un arte incompleto, como puede verse en Pollock, el más poderoso de estos artistas. Sus grandes telas no tienen principio ni fin y de ahí que, a pesar de sus dimensiones y de la energía con que están pintadas, nos parezcan pedazos gigantescos y no mundos completos. Esta pintura no calma nuestra sed de totalidad, signo del gran arte. Fragmentos y balbuceos: un pujante querer decir, no un decir completo.

Idealista o naturalista, la pintura abstracta es un arte intemporal. La esencia y la naturaleza son ajenas al transcurrir humano: los elementos naturales no tienen fecha; tampoco la tiene la idea. Prefiero la otra corriente del arte moderno, empeñada en asir la significación en el cambio. Figuración, desfiguración, metamorfosis, arte temporal: en un extremo del abanico, Picasso; en el otro, Klee. En el centro, Duchamp y los grandes surrealistas. Nadie ha hablado de la invisible oposición entre arte tem-

* No me gusta el término *expresionismo* aplicado a la pintura abstracta: hay una contradicción entre expresionismo y abstracción. No es menos "misleading" la denominación "pintura abstracta". Ya Benjamin Peret señalaba que el arte es siempre concreto, singular.

poral e intemporal. En cambio, todavía hasta hace poco se nos aturdía con la querella entre abstracción y figuración. Al arte abstracto idealista debemos algunas de las creaciones más perfectas y puras de la primera mitad del siglo. No hay que tocarlas ni repetirlas. La tendencia naturalista o expresionista nos dejó obras intensas pero híbridas. El hibridismo es la consecuencia de la contradicción entre fenómeno natural (objetividad pura) y gesto humano (subjetividad, intencionalidad). O dicho de otra manera: en esta pintura hay mezcla, no fusión, de dos realidades distintas: la materia viva del cuadro (energía e inercia) y el subjetivismo romántico del pintor. Pintura heroica pero también teatral: la gesta y el gesto. Por su parte, el arte temporal es la visión del instante que eleva en su llama la presencia y la quema. Arte de la presencia aun si la descuartiza, como sucede con Picasso. La presencia no es sólo lo que vemos: Breton habla del "modelo interior" y alude así a ese fastasma que habita nuestras noches, presencia secreta en que se manifiesta la otredad del mundo. Giacometti ha dicho que lo único que pretende es llegar a pintar o esculpir *realmente* un rostro. Braque no busca la esencia del objeto: lo despliega sobre el río transparente del tiempo. Horas deshabitadas de Chirico. Línea, colores, flechas, círculos de Klee: poema del movimiento y la metamorfosis. La presencia es la cifra del mundo, la cifra del ser. También es la cicatriz, la marca de la herida temporal: es el instante, los instantes. Es la significación que señala y nunca toca el objeto señalado, deseado.

La búsqueda del sentido o su destrucción (es lo mismo: no podemos escapar del sentido) es central en ambas tendencias. El único arte insignificante de nuestro tiempo es el realismo. Y no sólo por la mediocridad de sus productos sino porque se empeña en reproducir una realidad natural y social que ha perdido sentido. El arte temporal se enfrenta a esta pérdida de significación y de ahí que sea el arte por excelencia de la imaginación.

Desde este punto de vista Dadá fue ejemplar (e inimitable, a pesar de sus recientes y comerciales repeticiones neoyorquinas): asumió no sólo la asignificación y el sinsentido sino que hizo de la insignificancia su más eficaz instrumento de demolición intelectual. El surrealismo buscó el sentido en el magnetismo pasional del instante: amor, inspiración. Aquí la palabra clave es *encuentro*. ¿Qué quedó de todo esto? Unos cuadros, unos poemas: un racimo de tiempo vivo. Es bastante. El sentido está en otra parte: allá, siempre más allá.

El arte temporal oscila entre la presencia y su destrucción, entre el sentido y el sinsentido. Pero tenemos sed de un *arte completo*. No un arte total, como querían los románticos, sino un arte de la totalidad. ¿Hay ejemplos modernos?

FIGURA Y PRESENCIA

Dadá echó a pique las pretensiones especulativas de la pintura cubista y los surrealistas opusieron al objeto-idea de Juan Gris, Villon o Delaunay una visión interior que destruía su consistencia como *cosa* y su coherencia como *sistema* de coordenadas intelectuales. El cubismo había sido un análisis del objeto y una tentativa por mostrarlo en su totalidad; de uno y otro modo, analítico o sintético, fue una crítica de la *apariencia*. El surrealismo trasmutó al objeto y fue la irrupción de la *aparición*: una nueva figuración —una verdadera transfiguración. El proceso se repite ahora. La pintura abstracta había negado realidad estética —y aun toda realidad— lo mismo a las apariencias que a las apariciones. El pop-art es el regreso inesperado de la figuración, la vuelta agresiva y brutal de la realidad, tal como la vemos todos los días en nuestras ciudades y sin pasar por el tamiz del análisis. En ambos casos, surrealismo y pop-art, se trata de una reacción de la visión espontánea y concreta frente al absolutismo de la especulación pictórica. Fantasía, humor, provocación, realismo delirante. Ahora que las diferencias entre uno y otro movimiento no son menores que sus semejanzas. Inclusive podría decirse que su parecido es exterior; más que real identidad es una coincidencia histórica y formal: son uno de los extremos de la sensibilidad moderna, oscilante siempre entre el amor a lo general y la pasión por lo singular, la reflexión y la intuición. Pero el pop-art no es una rebelión total como Dadá ni un movimiento de subversión sistemática a la manera del surrealismo, con un programa y una disciplina interior. Es una actitud individual, una respuesta a la realidad, no una crítica. Su gemelo enemigo, el op-art, ni siquiera es una actitud: literalmente es un punto de vista, un procedimiento. En verdad es una rama, más o menos independiente, de la tendencia abstraccionista, según se ve en uno de los mejores representantes de la tendencia: Vasarely.

El artista pop acepta el mundo de cosas en que vivimos y es aceptado por la sociedad que posee y usa esas cosas. Ni negación ni separación: integración. A diferencia de lo que sucedió con Dadá y el surrealismo, el pop-art desde el primer momento se convirtió en un afluente de la corriente industrial, un arroyo en el sistema de circulación de objetos. Sus productos no son desafíos al Museo ni negaciones de la estética de consumidores que define a nuestra época: son objetos de consumo. Lejos de ser una crítica del mercado, este arte es una de sus manifestaciones. Muchas veces sus obras son ingenuas sublimaciones de las vitrinas y aparadores de los grandes almacenes. No es raro: varios de estos artistas se iniciaron en la industria de la publicidad y la moda. De todos modos, el pop-art es saludable porque regresa a la visión instantánea de la realidad y, en sus expresiones más intensas, a la visión de la realidad instantánea. ¿Cómo no percibir en ciertas obras de Rauschenberg, por ejemplo, la poesía de la vida moderna tal como la definió Apollinaire? El mundo de las calles, las máquinas, las luces, las gentes —un mundo en el que cada color es una exclamación y cada forma un signo que emite significados contrarios. El pop-art ha reinventado la figura y esa figura es la de nuestras ciudades y nuestras obsesiones. A veces ha ido más allá y ha convertido esa mitología en blanco y en interrogación: el arte de Jaspers Jhons es el del objeto-San Sebastián. Pero estos artistas nos han devuelto la figura, no la presencia: el maniquí y no la aparición. El mundo moderno es el hombre, o su fantasma, errante entre las cosas y los aparatos. Echo de menos en la obra de estos jóvenes algo que vio Pound en una estación del metro de París y expresó en dos líneas:

The apparition of these faces in the crowd;
Petals on a wet, black bough.

LOS NUEVOS ACÓLITOS

Otra semejanza entre la antigua vanguardia europea y la contemporánea de los angloamericanos: en ambos episodios la poesía anticipó y preparó el advenimiento de la nueva visión pictórica. Dadá y el surrealismo fueron antes que nada movimientos poéticos en los que participaron poetas-pintores como Arp y pintores-poetas como Ernst y Miró. En los Estados Unidos el fenómeno se repite en forma ligeramente distinta. El cambio se inicia en la década de 1950 y la chispa fue la rebeldía de los poetas frente a la poesía intelectual de Eliot, Wallace Stevens, Marianne Moore —una rebelión en la que Pound y William Carlos Williams desempeñaron la misma función ejemplar (y ambigua) de Reverdy en el surrealismo; unos pocos años después, hacia 1960, de manera independiente pero coincidente, los pintores se rebelaron contra el expresionismo-abstracto. Fue una suerte de repetición de lo que había sucedido en Europa, especialmente en Francia, entre 1915 y 1930. La repetición, claro está, ni es idéntica ni es una imitación. El parecido es el resultado de circunstancias análogas y puede considerarse como una ilustración de esa ley rítmica a que he aludido: un movimiento de péndulo entre períodos de reflexión y períodos de espontaneidad. Con esta salvedad, es indudable la influencia de la vanguardia europea sobre la angloamericana, una influencia que no niega autenticidad ni originalidad a esta última. Por lo que toca a la pintura: las deudas del pop-art son de tal modo conocidas —Dadá, los surrealistas y, sobre todo, Marcel Duchamp— que no vale la pena detenerse en ellas. En cuanto a la poesía: la influencia del surrealismo no se limitó al automatismo o escritura espontánea ni a la concepción de la imagen poética como cápsula explosiva por la unión de realidades contrarias; también fue decisiva la idea de la poesía como actividad subversiva, a un tiempo crítica del mundo y medio de conocimiento, destrucción de la moral y la lógica imperantes y visión suprema de la realidad. A la influencia del surrealismo debe agregarse la de otros movimientos europeos de vanguardia: el "projective verse" de Olson recuerda en más de un punto a Jlebnikov y a Maiakovski.

De nuevo: nada de esto empaña la autenticidad, ya que no la novedad, de muchas obras poéticas y pictóricas de los angloamericanos. No puede decirse lo mismo de sus imitadores hispanoamericanos, al menos de los poetas. (En Brasil sí hay una auténtica y rigurosa vanguardia: los poetas concretos.) Repetir a Olson o a Ginsberg en Lima, Caracas, Buenos Aires, Santiago, México o Tegucigalpa equivale a ignorar —o lo que es peor: a olvidar— que esa revolución poética *ya fue hecha en lengua española* y, precisamente, no en España sino en América.* Ese movimiento se inició hace más de

* Sobre el sentido distinto de la tradición poética moderna en inglés, francés y español, véase el capítulo "Verso y prosa" de *El arco y la lira* (1956). La primera, según se

cuarenta años entre nosotros y sus iniciadores se llaman Macedonio Fernández, Huidobro, Pellicer —para citar sólo a los más conocidos. Culmina en dos momentos que son dos verdaderos mediodías. El primero se concentra en los nombres de Neruda y Vallejo; el segundo se dispersa en las obras menos conocidas, aunque no menos notables, de varios poetas de mi generación: Lezama Lima, Nicanor Parra, Enrique Molina, Alberto Girri, Vitier y algunos pocos más. Es un movimiento que aún no termina, una tradición viva, como puede verse en la actitud de los poetas jóvenes que cuentan: no imitan ni prolongan, buscan e inventan. Su relación con la tradición inmediata es polémica. En cambio, los otros repiten, traducen: acompañan desde fuera a un rito que comprenden a medias. Son los acólitos.

La negación de la herencia siempre me ha parecido tónica y estimulante. Pienso, no obstante, que para negar hay que conocer primero aquello que se niega: Breton rompió con la estética de Valéry después de muchos años de frecuentar a ese poeta; el ultraísmo argentino se rebeló contra Lugones pero no ignoró su existencia; Auden continúa a Eliot en la medida en que le opone otra visión y otro lenguaje. La tradición de la ruptura es una verdadera tradición: postula una relación de contradicción entre sus protagonistas. Los nuevos acólitos practican la natación en una piscina sin agua, exploran territorios que figuran en todos los mapas. Quizá esta actitud sea consecuencia de una irreflexiva extensión al campo de la creación artística del concepto de "subdesarrollo". Cierto, América Latina es un continente de oligarquías obtusas y rapaces, dictaduras sangrientas, gente humillada y gobiernos títeres de Washington pero este mundo

ve en Eliot y Pound, es una nostalgia de un clasicismo y su modelo es Dante (para Eliot) y los momentos de mediodía de las civilizaciones clásicas (China, Grecia y Occidente, para Pound). El movimiento poético en lengua francesa y en Hispanoamérica es de signo contrario: búsqueda de un lenguaje primordial —el arte como *pasión universal.*

sombrío ha dado, desde la época de Rubén Darío, una serie ininterrumpida de grandes poetas. Esos poetas son parte de la tradición moderna universal y sus obras no son menos significativas que las de Benn y Brecht, Yeats y Pound, Perse y Michaux, Ungaretti y Montale, Maiakovski y Pasternak. No digo que los jóvenes deban continuar, repetir o imitar a sus predecesores; digo que toda negación, si no es un grito vacío contra el vacío, implica una relación polémica con aquello que se niega. No me preocupa la rebelión contra la tradición: me inquieta la *ausencia* de tradición. Es un signo de enajenación y más: al cercenarse de su tradición, los acólitos se automutilan... Pero todo esto no es, quizá, sino un residuo del pasado, los últimos sacudimientos de la "modernidad" agonizante. Otro tiempo alborea: otro arte.

SOBRE LA CRÍTICA

> Al oír al loro, el gentilhombre español, recién desembarcado en América, hizo una profunda reverencia y dijo: Perdone Vuecencia, yo creía que era pájaro.

Es un secreto a voces que la crítica es el punto flaco de la literatura hispanoamericana. Lo mismo sucede en España. No es que falten, por supuesto, buenos críticos. Sería ocioso recordar, entre los de América, a dos excelentes: Anderson Imbert y Rodríguez Monegal (para no hablar de los más jóvenes, como el mexicano Emmanuel Carballo o el poeta venezolano Guillermo Sucre). Pero carecemos de un "cuerpo de doctrina" o doctrinas, es decir, de ese mundo de ideas que, al desplegarse, crea un *espacio intelectual*: el ámbito de una obra, la resonancia que la prolonga o la contradice. Ese espacio es el lugar de encuentro con las otras obras, la posibilidad del diálogo entre ellas. La crítica es lo que constituye eso que llamamos una literatura y que no es tanto la suma de las obras como el sistema de sus relaciones: un campo de afinidades y oposiciones.

Crítica y creación viven en perpetua simbiosis. La primera se alimenta de poemas y novelas pero a su vez es el agua, el pan y el aire de la creación. En el pasado, el "cuerpo de la doctrina" estaba constituido por sistemas cerrados: Dante se nutrió de teología y Góngora de mitología. La modernidad es el reino de la crítica: no un sistema sino la negación y confrontación de todos os sistemas. La crítica ha sido el alimento de todos los artistas modernos, de Baudelaire a Kafka, de Leopardi a los futuristas rusos. Inclusive se ha convertido en creación: la obra se resuelve en convocación de la negación (*Un coup de dés*) o en negación de la obra (*Nadja*). En nuestras literaturas, sea en lengua española o portuguesa, hay pocos ejemplos de ese radicalismo: Pessoa y, ante todo, Jorge Luis Borges, autor de una obra única, edificada sobre el tema vertiginoso de la ausencia de obra. La crítica como invención literaria, la negación como metafísica y como retórica. Entre los que vinieron después, fuera de Cortázar y algún otro, no encuentro por ninguna parte esa decisión de construir un discurso sobre la ausencia del discurso. El No es un obelisco transparente pero nuestros poetas y novelistas prefieren figuras geométricas menos inquietantes aunque no menos erguidas y perfectas. Contamos con obras extraordinarias, fundadas en un Sí, a veces compacto y otras agrietado por las negaciones y las rupturas.

Si se pasa de la crítica como creación a la crítica como alimento intelectual, la escasez se vuelve pobreza. El pensamiento de la época —las ideas, las teorías, las dudas, las hipótesis— está fuera y escrito en otras lenguas. Salvo en esos raros momentos que se llaman Miguel de Unamuno y Ortega y Gasset, todavía somos parásitos de Europa. Por último, si se pasa a la crítica literaria propiamente dicha, la pobreza se convierte en miseria. Ese espacio al que me he referido y que es el resultado de la acción crítica, lugar de unión y de confrontación de las obras, entre nosotros es un *no man's land*. La misión de la crítica, claro está, no es inventar obras sino ponerlas en relación: disponerlas, descubrir su posición dentro del conjunto y de acuerdo con las predisposiciones y tendencias de cada una. En este sentido, la crítica tiene una función creadora: inventa una literatura (una perspectiva, un orden) a partir de las obras. Esto es lo que no ha hecho nuestra crítica. Por tal razón no hay una literatura hispanoamericana aunque exista ya un conjunto de obras importantes. De ahí también que sea inútil preguntarse, como se hace con frecuencia, qué es la literatura hispanoamericana. Es una pregunta que, según se ha visto, aún no puede tener respuesta. En cambio, es urgente preguntarse *cómo* es nuestra literatura: sus fronteras, su forma, su estructura, su movimiento. Responder a esta pregunta será poner en comunicación a las obras y revelarnos que no son monolitos aislados, estelas conmemorativas del desastre plantadas en el desierto, sino que forman una sociedad. Un conjunto de monólogos que constituyen, ya que no un coro, un diálogo contradictorio.

Es vano condenar los pecados de omisión. No lo es señalar los de comisión. Desde hace algunos años nuestros críticos, especialmente los parapetados en periódicos y revistas, pregonan las excelencias de la "gran literatura latinoamericana". Es más fácil el entusiasmo que el juicio, la repetición que la crítica. Además, es la moda —como hace quince o veinte años lo fue lamentarse de la pobreza de nuestra literatura. (Recordaré de paso que esos "años de pobreza" son los de la creación de Borges, Neruda, Reyes, Carpentier, Asturias, Braulio Arenas y los de la iniciación de H. A. Murena, Rulfo, Gonzalo Rojas, Liscano, Mejía Sánchez, etc.) Esta reciente y ruidosa actividad "crítica", casi indistinguible de las formas más vacuas de la publicidad y que consiste en remachar clisés llamativos, ha escogido ahora como caballito de batalla el tema del "éxito de nuestros escritores, especialmente los novelistas, en el extranjero". En primer término: la palabra éxito me produce bochorno; no pertenece al vocabulario de la literatura sino al de los negocios y el deporte. En segundo lugar: la boga de las traducciones es un fenómeno universal y no exclusivo de América Latina. Es una consecuencia del auge del negocio editorial, un epifenómeno de la prosperidad de las sociedades industriales. Nadie ignora que los agentes de los editores recorren los cinco continentes, de las pocilgas de Calcuta a los patios de Montevideo y los bazares de Damasco, en busca de manuscritos de novelas. Una cosa es la literatura y otra la edición. Por último: la actitud de esos críticos se parece a la de la burgüesía de hace veinte años que sólo bebía whiskey o champaña y cuyas mujeres se vestían únicamente en París. Por lo visto, para que una obra sea considerada entre nosotros debe contar antes con la bendición de Londres, Nueva York o París. La situación sería cómica si no implicase una dimisión. La jurisdicción de la crítica es el lenguaje y renunciar a ella es renunciar no sólo al derecho de opinar sino al uso de la palabra. Es una abdicación total: el crítico renuncia a juzgar lo que se escribe en su propio idioma. No niego la utilidad e inclusive la necesidad de la crítica extranjera: para mí las literaturas modernas son una *literatura.* ¿Y cómo podría olvidar que muchas veces los extraños ven lo que no perciben los de casa? Es natural, aunque lamentable, que la crítica extranjera remedie, así sea parcialmente y a tientas, las omisiones y la ceguera de la crítica hispanoamericana. Caillois no descubrió a Borges pero hizo algo que no hicimos los que lo admirábamos cuando era un escritor minoritario (en el fondo lo sigue siendo): leerlo dentro de un contexto universal. En lugar de repetir como mirlos persas o loros americanos lo que dicen anónimos revisteros de Chicago o Milán, los críticos deberían leer a nuestros autores como Caillois ha leído a Borges:

desde la tradición moderna y como parte de esa tradición. Dos tareas complementarias: mostrar que las obras hispanoamericanas son *una literatura*, un campo de relaciones antagónicas; describir las relaciones de esa literatura con las otras.

Se dice a menudo que la debilidad de nuestra crítica se debe al carácter marginal y dependiente de nuestras sociedades: es uno de los efectos del "subdesarrollo". Esta opinión es una de esas verdades a medias, peores que las mentiras totales. El famoso "subdesarrollo" no le impidió a Rodó escribir un buen ensayo crítico sobre Darío. Por supuesto, la literatura vive dentro de una sociedad: si no es un mero reflejo de las relaciones sociales tampoco es una entidad impermeable a la historia. La literatura es una relación social, sólo que es una relación irreductible a las otras. Más acertada me parece la idea de ver en la dispersión de nuestra crítica una consecuencia de la falta de comunicación. América Latina no tiene un centro a la manera de París, Nueva York o Londres. En el pasado, Madrid cumplía esa función mal que bien (más lo primero que lo segundo). Allá fueron reconocidos y consagrados Darío, Reyes, Neruda y otros pocos más. Y todavía nuestra hipocresía no perdona a los españoles que hayan ignorado a Huidobro y Vallejo (como si nosotros hubiésemos sido un modelo de generosidad con ellos: el segundo murió en el destierro y uno de los últimos libros de Huidobro se llama, significativamente, *El ciudadano del olvido*). La guerra civil de España convirtió a Buenos Aires y México en sucesores de Madrid. Ya antes habían sido capitales literarias aunque más bien como focos de revueltas cosmopolitas y antiespañolas: el modernismo y la vanguardia. Un centro literario es un sistema nervioso alerta a todos los estímulos; ni Buenos Aires ni México han mostrado gran sensibilidad frente al resto de América. El europeísmo argentino y el nacionalismo mexicano son formas distintas de una misma enfermedad: la sordera. Cierto, las cosas han cambiado un tanto en los últimos años y cambiarán más y más. Por otra parte, empiezan a formarse otros centros, casi ninguno con aspiraciones hegemónicas y todos con una sensibilidad abierta: La Habana, Caracas, Montevideo, Santiago, Lima. Hasta en Bogotá la ensimismada y en la Managua del tiburón Somoza aparecen revistas y grupos que se definen por su vocación latinoamericana. A pesar de que los medios de información casi siempre están en manos de dictadores, burocracias y empresas, la comunicación se establece y poco a poco se convierte en una realidad caótica pero viva. Si la literatura no es la comunicación —tal vez sea lo contrario: la "mise en question" de la comunicación— sí es uno de sus productos. *Un producto contradictorio.* La crítica comparte esta actitud ambigua ante la comunicación: su misión no es tanto trasmitir informaciones como filtrarlas, trasmutarlas y ordenarlas. La crítica opera por negaciones y por asociaciones: define, aísla y, después, relaciona. Diré más: en nuestra época la crítica funda la literatura. En tanto que esta última se constituye como crítica de la palabra y del mundo, como una pregunta sobre sí misma, la crítica concibe a la literatura como un mundo de palabras, como un universo verbal. La creación es crítica y la crítica, creación. Así, a nuestra literatura le falta rigor crítico y a nuestra crítica imaginación.

LA MÁSCARA Y LA TRANSPARENCIA

El primer libro de Carlos Fuentes fue un delgado volumen de cuentos: *Los días enmascarados* (1954). El título prefigura la dirección de su obra posterior. Alude a los cinco días finales del año azteca, los *nemontani*: "cinco enmascarados / con pencas de maguey", había dicho el poeta Tablada. Cinco días sin nombre, días vacíos durante los cuales se suspendía toda actividad —frágil puente entre el fin de un año y el comienzo de otro. En el espíritu de Fuentes, sin duda, la expresión tiene además un sentido de interrogación y de escarnio: ¿qué hay detrás de las máscaras? El vaso de sangre del sacrificio prehispánico, el sabor de la pólvora la madrugada del fusilamiento, el agujero negro del sexo, las arañas peludas del miedo, las risotadas del sótano y la letrina. Después de este libro extraño, Fuentes ha publicado cinco novelas, una "nouvelle" macabra y perfecta a un tiempo —como lo exige el género: la geometría es la antesala del horror— y otra colección de cuentos.* Su primer novela, *La región más transparente,* parece una respuesta a los cuentos juveniles: la transparencia se opone a la máscara. Primera visión moderna de la ciudad de México, este libro fue una doble revelación para los mexicanos: les mostró el rostro de una ciudad que, aunque suya, no conocían y les descubrió a un joven escritor que desde entonces no cesaría de asombrarlos, desconcertarlos e irritarlos. El centro secreto de la novela es un personaje ambiguo, Ixca Cienfuegos; aunque no participa en la acción, de alguna manera la precipita y es algo así como la conciencia de la ciudad. Es la otra mitad de México, el pasado precolombino enterrado pero vivo. También es una máscara de Fuentes, del mismo modo que México es una máscara de Ixca. La literatura como máscara del autor y del mundo. No obstante, lo contrario es igualmente cierto: Ixca es una conciencia crítica. La literatura como crítica del mundo y del propio autor. La novela gira en torno a esta dualidad: la máscara y la conciencia, la palabra y la crítica, Ixca y el México moderno, Fuentes e Ixca.

El eje invención verbal y crítica del lenguaje rige toda la obra de Fuentes, con la excepción de

* Las novelas son: *La región más transparente* (1958), *Las buenas conciencias* (1959), *La muerte de Artemio Cruz* (1962), *Zona sagrada* (1967) y *Cambio de piel* (1967). La "nouvelle" es *Aura* (1962) y el libro de cuentos, *Cantar de ciegos* (1964).

Las buenas conciencias, intento poco afortunad
de regreso al realismo tradicional. Cada una d
sus novelas se presenta como un jeroglífico; a
mismo tiempo, la acción invisible que las anima e
una apasionada, tenaz tentativa por descifrar es
jeroglífico. Cada signo emite otro signo: la ciuda
de México a Ixca, éste a Artemio Cruz (el ant
Ixca, el hombre de acción) y así sucesivament
de novela a novela y de personaje en personaj
Fuentes interroga a esos signos y los signos lo in
terrogan: el autor es otro signo. Escribir es l
incesante interrogación que los signos hacen a u
signo: el hombre; y la que ese signo hace a los sig
nos: el lenguaje. Tarea interminable y que el nove
lista debe recomenzar una y otra vez: para descifra
un jeroglífico se vale de signos (palabras) qu
no tardan en configurar otro jeroglífico. La crític
destruye la mentira de las palabras con otras pa
labras que, apenas pronunciadas, se congelan y s
convierten de nuevo en máscaras. En el nivel má
aparente, la dualidad se manifiesta como crític
moral o política y como nostalgia de una edad he
roica. La descripción de la sociedad contemporáne
de México es una crítica cruel (y justa) del mund
que ha creado nuestra Revolución, pero la violenci
misma de esa crítica engendra inmediatamente l
evocación de otra realidad: los años encendidos d
la lucha armada. La crítica se vuelve creació
de un mito y el mito está amenazado siempre po
la crítica.

El ascenso social del revolucionario y su conse
cuente degradación moral es un tema constante de
la novela moderna, desde Balzac. *La muerte de Artemio Cruz* es la historia del revolucionario que se
corrompe. Su caída insensiblemente adquiere una
tonalidad mítica. Así pues, Fuentes no se propone
ilustrar con un nuevo ejemplo los orígenes revolucionarios de la burguesía conservadora sino que
está fascinado por su personaje, como antes lo estuvo por Ixca, el superviviente de la edad prehispá-
nica. Descifrar a Cruz será exorcisarlo. Su agonía
es el desciframiento. El moribundo revive su vida:

el enamorado, el guerrillero, el aventurero político, el hombre de negocios... El niño y el adolescente acechan su muerte porque creen que ella será la revelación de lo que está detrás de la realidad, en el otro lado; el viejo agonizante busca en su vida pasada el indicio de lo que es verdaderamente, ese momento inmaculado que le permitirá ver de cara a la muerte. Estas oposiciones no se manifiestan una detrás de otra sino simultáneamente. Fuentes suprime el antes y el después, la historia como tiempo lineal: no hay sucesión, todos los tiempos y los espacios coinciden y se conjugan en ese instante en que Artemio Cruz interroga a su vida. Cruz muere indescifrado. Mejor dicho: su muerte nos enfrenta a otro jeroglífico, que es la suma de todo lo que fue —y su negación. Hay que volver a empezar.

El mundo no se presenta como realidad que hay que nombrar, sino como palabra que debemos descifrar. La divisa de Fuentes podría ser: *dime cómo hablas y te diré quién eres*. Los individuos, las clases sociales, las épocas históricas, las ciudades, los desiertos, son lenguajes: todas las lenguas que es la lengua hispanomexicana y otros idiomas más. Una enorme, gozosa, dolorosa, delirante materia verbal que podría hacer pensar en el barroquismo del *Paradiso* de José Lezama Lima, si es que el término barroco conviene a dos escritores modernos. Pero el vértigo que nos producen las construcciones del gran poeta cubano es el de la fijeza: su mundo verbal es el de la estalactita; en cambio, la realidad de Fuentes está en movimiento y es un continuo estallido. Aquél es la acumulación, la petrificación, una inmensa geología verbal; éste es el desarraigo, el éxodo de las lenguas, sus encuentros y sus dispersiones. La tierra y el viento. Por su cosmopolitismo, Fuentes podría parecerse a Cortázar, el más lúcido y radical, valga la contradicción, de nuestros desarraigados: inclusive cuando escribe en argentino porteño, la ironía conserva la distancia entre el escritor y el habla. El cosmopolitismo hispanoamericano de Cortázar es el producto extremo de un proceso de abstracción y depuración: una cristalización; el de Fuentes es una yuxtaposición y combinación de distintos idiomas dentro y fuera del español. Vuelto sobre sí mismo, el lenguaje de Cortázar es un juego reflexivo que obliga al lector a caminar sobre un filo cada vez más delgado y tajante hasta que lo enfrenta a un espacio vacío: anulación del lenguaje, salto hacia el silencio. En Fuentes no hay metafísica de la palabra: hay erotismo verbal, violencia y delicia, encuentro y explosión. El alambique y el cohete.

El cuerpo ocupa un lugar central en el universo de Fuentes. El frío, el calor, la sed, la urgencia sexual, la fatiga, las sensaciones más inmediatas y directas; y las más refinadas y complejas: las combinaciones del deseo y la imaginación, los desvaríos y las alucinaciones de los sentidos, sus errores y sus adivinaciones. La pasión erótica es cardinal y, por tanto, lo es también la imaginación, su doble implacable. En otros dos notables novelistas hispanoamericanos, uno de su misma generación y el otro de la precedente, Gabriel García Márquez y Adolfo Bioy Casares, el amor es, asimismo, una pasión soberana. En el mundo de García Márquez el amor es el poder genésico que reina como una presencia oscura, impersonal y todopoderosa: es el mundo del primer día o, más exactamente, la noche primordial. El tema de Bioy Casares no es cósmico sino metafísico: el cuerpo es imaginario y obedecemos a la tiranía de un fantasma. El amor es una percepción privilegiada, la más total y lúcida, no sólo de la irrealidad del mundo sino de la nuestra: corremos tras de sombras pero nosotros también somos sombras.* A la inversa de García Márquez, para Fuentes los hombres y las mujeres no son meras proyecciones del deseo: son sus cómplices y sus enemigos.

* De paso: a pesar de que este autor ha escrito dos novelas, *La invención de Morel* y *El sueño de los héroes*, que pueden llamarse sin exageración *perfectas* (¿o por eso mismo?), nuestra crítica las ha desdeñado o, lo que es peor, las ha leído mal y ha visto en ellas únicamente dos afortunadas variaciones de la literatura fantástica.

A semejanza de Bioy Casares, los fantasmas no son menos reales que los cuerpos, sólo que esos fantasmas encarnan: los tocamos y nos tocan, nos desgarran. El cuerpo es verdadero y la revelación que nos ofrece es inhumana, sea animal o divina: nos arranca de nosotros mismos y nos arroja a otra vida, o a otra muerte, más plena.

Los cuerpos son jeroglíficos sensibles. Cada cuerpo es una metáfora erótica y el significado de todas estas metáforas es siempre el mismo: la muerte. Por el amor Fuentes se asoma a la muerte; por la muerte, al territorio que antes llamábamos sagrado o poético y que en nuestros días carece de nombre. El mundo moderno no ha inventado palabras para designar a la otra vertiente de la realidad. No es extraña la obsesión de Fuentes por el rostro arrugado y desdentado de una vieja tiránica, loca y enamorada. Es el antiguo vampiro, la bruja, la serpiente blanca de los cuentos chinos: la señora de las pasiones sombrías, la desterrada. El erotismo es inseparable del horror y Fuentes se sobrepasa a sí mismo en el horror: el erótico y el grotesco. En muchos pasajes de sus novelas y en casi todos sus cuentos se despliega con una suerte de alegría feroz. Si no es lo sagrado, es algo no menos violento: la profanación. Un humor en el que coinciden tres herencias —la inglesa, la española y la mexicana— y que no es intelectual sino físico, sexual, visceral. Un humor más allá de la ironía, del absurdo y de la sátira, casi sublime en su exageración paródica —un humor que no merece otro adjetivo que el de encarnizado. Carnal, corporal, ritual e incongruente como un sacrificio azteca en Times Square. Si la crueldad es la otra cara de la ternura, Fuentes no es ni tierno ni cruel: es pasional e imaginativo.

Algunos críticos europeos han dicho que la segunda mitad de nuestro siglo verá la aparición de la literatura latinoamericana (en sus dos ramas: la brasileña y la hispanoamericana), tal como su primera mitad vio el surgimiento de la angloamericana y la final del XIX el de la rusa. No confío mucho en este género de profecías; además, creo que estas tres literaturas, por más excéntricas que parezcan, sólo son inteligibles dentro del contexto de la europea. Por otra parte, la literatura contemporánea tiende a ser mundial. Podemos deplorarlo o no, pero es un hecho que las antiguas oposiciones históricas entre nación y nación, o entre las distintas civilizaciones, poco a poco se evaporan. Los nuevos antagonismos son otros y se manifiestan *dentro* de la comunidad mundial: conflictos entre la sociedad industrial y el "tercer mundo", querella de generaciones en el seno de la primera. Así pues, no me inquieta saber si resultará o no cierta la profecía sobre el futuro de la literatura de América Latina. En cambio, me fascinan y exaltan las obras de unos cuantos poetas y novelistas latinoamericanos: no son una promesa sino una presencia. Entre esas obras se encuentra la de Fuentes. Está en el mediodía de sus dones y aún no ha dicho su palabra final. Pero yo sé que la máscara se volverá transparente y preciosa, no como el cristal de roca sino como el agua.

APARICIONES Y DESAPARICIONES DE REMEDIOS VARO

Con la misma violencia invisible del viento al dis persar lás nubes pero con mayor delicadeza, com si pintase con la mirada y no con las manos, Reme dios despeja la tela y sobre su superficie trans parente acumula claridades.

En su lucha con la realidad, algunos pintores l violan o la cubren de signos, la hacen estallar la entierran, la desuellan, la adoran o la niegar Remedios la volatiliza: por su cuerpo ya no circul sangre sino luz.

Pinta lentamente las rápidas apariciones.

Las apariencias son las sombras de los arquetipos: Remedios no inventa, recuerda. Sólo que esas apariencias no se parecen a nada ni a nadie.

Navegaciones en el interior de una piedra preciosa.

Pintura especulativa, pintura espejeante: no el mundo al revés, el revés del mundo.

El arte de la levitación: pérdida de la gravedad, pérdida de la seriedad. Remedios ríe, pero su risa resuena en otro mundo.

El espacio no es una extensión sino el imán de las apariciones.

Cabellos de la mujer —cuerdas del harpa— cabellos del sol —cuerdas de la guitarra. El mundo visto como música: oíd las líneas de Remedios.

El tema secreto de su obra: la consonancia —la paridad perdida.

Pinta, en la Aparición, la Desaparición.

Raíces, follajes, rayos astrales, cabellos, pelos de la barba, espirales del sonido: hilos de muerte, hilos de vida, hilos de tiempo. La trama se teje y desteje: irreal lo que llamamos vida, irreal lo que llamamos muerte —sólo es real la tela. Remedios antiparca.

Máquinas de la fantasía contra el furor mecánico, la fantasía maquinal.

No pinta el tiempo sino los instantes en que el tiempo reposa.

En su mundo de relojes parados oímos el fluir de las sustancias, la circulación de la sombra y la luz: el tiempo madura.

Nos sorprende porque pinta sorprendida.

Las formas buscan su forma, la forma busca su disolución.

ANDRÉ BRETON O LA BÚSQUEDA DEL COMIENZO

Escribir sobre André Breton con un lenguaje que no sea el de la pasión es imposible. Además, sería indigno. Para él los poderes de la palabra no eran distintos a los de la pasión y ésta, en su forma más alta y tensa, no era sino lenguaje en estado de pureza salvaje: poesía. Breton: el lenguaje de la pasión —la pasión del lenguaje. Toda su búsqueda, tanto o más que exploración de territorios psíquicos desconocidos, fue la reconquista de un reino perdido: la palabra del principio, el hombre anterior a los hombres y las civilizaciones. El surrealismo fue su orden de caballería y su acción entera fue una *Quête du Graal*. La sorprendente evolución del vocablo *querer* expresa muy bien la índole de su búsqueda; querer viene de *quaerere* (buscar, inquirir) pero en español cambió pronto de sentido para significar voluntad apasionada, deseo. Querer: búsqueda pasional, amorosa. Búsqueda no hacia el futuro ni el pasado sino hacia ese centro de convergencia que es, simultáneamente, el origen y el fin de los tiempos: el día antes del comienzo y después del fin. Su escándalo ante "la infame idea cristiana del pecado" es algo más que una repulsa de los valores tradicionales de Occidente: es una afirmación de la inocencia original del hombre. Esto lo distingue de casi todos sus contemporáneos y de los que vinieron después. Para Bataille el erotismo, la muerte y el pecado son signos intercambiables que en sus combinaciones repiten, con aterradora monotonía el mismo significado: la nadería del hombre, su irremediable ab-yección. También para Sartre el hombre es el hijo de una maldición, sea ontológica o histórica, llámese angustia o trabajo asalariado

Ambos son hijos rebeldes del cristianismo. La estirpe de Breton es otra. Por su vida y su obra no fue tanto un heredero de Sade y Freud como de Rousseau y Eckhart. No fue un filósofo sino un gran poeta y, aún más, en el antiguo sentido de la expresión, un hombre de honor. Su intransigencia ante la idea del pecado fue un punto de honra: le parecía que, efectivamente, era una *mancha,* algo que lesionaba no al ser sino a la dignidad humana. La creencia en el pecado era incompatible con su noción del hombre. Esta convicción, que lo opuso con gran violencia a muchas filosofías modernas y a todas las religiones, en el fondo también era religiosa: fue un acto de fe. Lo más extraño —debería decir: lo admirable— es que esa fe jamás lo abandonó. Denunció flaquezas, desfallecimientos y traiciones, pero nunca pensó que nuestra culpabilidad fuese congénita. Fue un hombre de partido sin la menor traza de maniqueísmo. Para Breton pecar y nacer no fueron sinónimos.

El hombre, aun el envilecido por el neocapitalismo y el seudosocialismo de nuestros días, es un ser maravilloso porque, a veces, *habla.* El lenguaje es la marca, la señal —no de su caída sino de su esencial irresponsabilidad. Por la palabra podemos acceder al reino perdido y recobrar los antiguos poderes. Esos poderes no son nuestros. El inspirado, el hombre que de verdad habla, no dice nada que sea suyo: por su boca habla el lenguaje. El sueño es propicio a la explosión de la palabra por ser un estado afectivo: su pasividad es actividad del deseo. El sueño es pasional. Aquí también su oposición al cristianismo fue de índole religiosa: el lenguaje, para decirse a sí mismo, aniquila la conciencia. La poesía no salva al yo del poeta: lo disuelve en la realidad más vasta y poderosa del habla. El ejercicio de la poesía exige el abandono, la renuncia al yo. Es lástima que el budismo no le haya interesado: esa tradición también destruye la ilusión del yo, aunque no en beneficio del lenguaje sino del silencio. (Debo añadir que ese silencio es palabra callada, silencio que no cesa de emitir significados desde hace más de dos mil años.) Recuerdo al budismo porque creo que la "escritura automática" es algo así como un equivalente moderno de la meditación budista; no pienso que sea un método para escribir poemas y tampoco es una receta retórica: es un ejercicio psíquico, una convocación y una invocación destinadas a abrir las esclusas de la corriente verbal. El automatismo poético, según lo subraya varias veces el mismo Breton, colinda con el ascetismo: implica un estado de difícil pasividad que, a su vez, exige la abolición de toda crítica y autocrítica. Es una crítica radical de la crítica, un poner en entredicho a la conciencia. A su manera, es una vía purgativa, un método de negación tendiente a provocar la aparición de la verdadera realidad: el lenguaje primordial.

El fundamento de la "escritura automática" es la creencia en la identidad entre hablar y pensar. El hombre no habla porque piensa sino que piensa porque habla; mejor dicho, hablar no es distinto de pensar: hablar es pensar. Breton justifica su idea con esta observación: "nous ne disposons spontanément pour nous exprimer que d'une *seule* structure verbale excluant de la manière la plus catégorique toute autre structure apparemment chargée du même sens." La primera objeción que podría oponerse a esta fórmula tajante es el hecho de que tanto en el habla diaria como en la prosa escrita nos encontramos con frases que pueden decirse con otras palabras o con las mismas, pero dispuestas en un orden distinto. Breton respondería, con razón, que entre una y otra versión no sólo cambia la estructura sintáctica sino que la idea misma se modifica, así sea de manera imperceptible. Todo cambio en la estructura verbal produce un cambio de significado. En un sentido riguroso, lo que llamamos sinónimos no son sino traducciones o equivalencias en el interior de una lengua; y lo que llamamos traducción es traslación o interpretación. Palabras como *nirvana, dharma, tao* o *jen* son realmente intraducibles; lo mismo ocurre con *física, naturaleza, democracia, revolución* y otros términos de Occidente que no tienen exacto equivalente en lenguas ajenas a nuestra tradición. A medida que la relación entre la estructura verbal y el significado es más íntima —matemáticas y poesía, para no hablar de lenguajes no articulados como la música y la pintura— la traducción es más y más difícil. En uno y otro extremo del lenguaje —la exclamación y la ecuación— es imposible separar al signo de sus dos mitades: significante y significado son lo mismo. Breton se opone así, tal vez sin saberlo, a Saussure: el lenguaje no es únicamente una convención arbitraria entre sonido y sentido, algo que empiezan a reconocer hoy los mismos lingüistas.

Las ideas de Breton sobre el lenguaje eran de orden mágico. No sólo nunca distinguió entre magia y poesía sino que pensó siempre que esta última era efectivamente una fuerza, una sustancia o energía capaz de cambiar la realidad. Al mismo tiempo, esas ideas poseían una precisión y una penetración que me atrevo a llamar científicas. Por una parte veía al lenguaje como una corriente autónoma y dotada de poder propio, una suerte de magnetismo universal; por la otra, concebía esa sustancia erótica como un sistema de signos regidos por la doble ley de la afinidad y la oposición, la semejanza y la alteridad. Esta visión no está muy alejada de la de los lingüistas modernos: las palabras y sus elementos constitutivos son campos de energía, como los átomos y sus partículas. La atracción entre sílabas y palabras no es distinta a la de los astros y los cuerpos. La antigua noción de analogía reaparece: la naturaleza es lenguaje y éste, por su parte, es un doble de aquélla. Recobrar el lenguaje natural es volver a la naturaleza, antes de la caída y de la historia: la poesía es el testimonio de la inocencia original. El *Contrato social* se convierte, para Breton, en el acuerdo verbal, poético, entre el hombre y la naturaleza, la palabra y el pensamiento. Desde esta perspectiva se puede entender mejor esa afirmación tantas veces repetida: el surrealismo es un movimiento de liberación total, no una escuela poética. Vía de reconquista del lenguaje inocente y renovación del pacto primordial, la poesía es la escritura de fundación del hombre. El surrealismo es revolucionario porque es una vuelta al principio del principio.

Los primeros poemas de Breton ostentan las huellas de una lectura apasionada de Mallarmé. Ni en los momentos de mayor violencia y libertad verbales abandonó ese gusto por la palabra, a un tiempo precisa y preciosa. Palabra tornasol, lenguaje de reverberaciones. Fue un poeta "manierista", en el buen sentido del término; dentro de la tradición europea está en la línea que desciende de Góngora, Marino, Donne —poetas que no sé si leyó y que, me temo, su moral poética reprobaba. Esplendor verbal y violencia intelectual y pasional. Alianza extraña, pero no infrecuente, entre profecía y esteticismo que convierte a sus mejores poemas en objetos de belleza y, al mismo tiempo, en testamentos espirituales. Tal es, quizá, la razón de su culto hacia Lautréamont, el poeta que encontró la *forma* de la explosión psíquica. De ahí también, aunque la juzgase inevitable y saludable como "necesidad revolucionaria", su no oculta repugnancia por la brutalidad simplista de Dadá. Sus reservas frente a otros poetas eran de índole distinta. Su admiración hacia Apollinaire contiene un grano de reticencia porque para Breton la poesía era creación de realidades por la palabra y no mera invención verbal. Amaba la novedad y la sorpresa en arte, pero el término *invención* no era de su gusto; en cambio, en muchos de sus textos brilla con luz inequívoca el sustantivo *revelación*. Decir es la actividad más alta: revelar lo escondido, despertar la palabra enterrada, suscitar la aparición de nuestro doble, crear a ese otro que somos y al que nunca dejamos ser del todo.

Revelación es resurrección, exposición, iniciación. Es palabra que evoca el rito y la ceremonia. Excepto como medio de provocación, para injuriar al público o excitar a la rebelión, Breton detestó los espectáculos al aire libre: la fiesta debería celebrarse en las catacumbas. Cada una de las exposiciones surrealistas giró en torno a un eje contradictorio: escándalo y secreto, consagración y profanación. Consagración y conspiración son términos consanguíneos: la revelación es también rebelión. El *otro,* nuestro doble, niega la ilusoria coherencia y seguridad de nuestra conciencia, ese pilar de humo que sostiene nuestras arrogantes construcciones filosóficas y religiosas. Los *otros,* proletarios y esclavos coloniales, mitos primitivos y utopías revolucionarias, amenazan con no menor violencia las creencias e instituciones de Occidente. A unos y otros, a Fourier y al papúa de Nueva Guinea, Breton les da la mano. Rebelión y revelación, lenguaje y pasión, son manifestaciones de una realidad única. El verdadero nombre de esa realidad también es doble: inocencia y maravilla. El hombre es creador de maravillas, es poeta, porque es un ser inocente. Los niños, las mujeres, los enamorados, los inspirados y aun los locos son la encarnación de lo maravilloso. Todo lo que hacen es insólito y no lo saben. No saben lo que hacen: son irresponsables, inocentes. Imanes, pararrayos, cables de alta tensión: sus palabras y sus actos son insensatos y, no obstante, poseen un sentido. Son los signos dispersos de un lenguaje en perpetuo movimiento y que despliega ante nuestros ojos un abanico de significados contradictorios —resuelto al fin en un sentido único y último. Por ellos y en ellos el universo nos habla y habla consigo mismo.

He repetido algunas de sus palabras: revelación y rebelión, inocencia y maravilla, pasión y lenguaje. Hay otra: magnetismo. Breton fue uno de los centros de gravedad de nuestra época. No sólo creía que los hombres estamos regidos por las leyes de la atracción y la repulsión sino que su persona misma era una encarnación de esas fuerzas. Todos los que lo tratamos sentimos el movimiento dual del vértigo: la fascinación y el impulso centrífugo. Confieso que durante mucho tiempo me desveló la idea de hacer o decir algo que pudiese provocar su reprobación. Creo que muchos de sus amigos experimentaron algo semejante. Todavía hace unos pocos años Buñuel me invitó a ver, en privado, una de sus películas. Al terminar la exhibición, me preguntó: ¿Breton la encontrará dentro de la tradición surrealista? Cito a Buñuel no sólo por ser un gran artista, sino porque es un hombre de una entereza de carácter y una libertad de espíritu de veras excepcionales. Estos sentimientos, compartidos por todos los que lo frecuentaron, no tienen nada que ver con el temor ni con el respeto al superior (aunque yo creo que, si hay hombres superiores, Breton fue uno de ellos). Nunca lo vi como a un jefe y menos aún como a un Papa, para emplear la innoble expresión popularizada por algunos cerdos. A pesar de mi amistad hacia su persona, mis actividades dentro del grupo surrealista fueron más bien tangenciales. Sin embargo, su afecto y su generosidad me confundieron siempre, desde el principio de nuestra relación hasta el fin de sus días. Nunca he sabido la razón de su indulgencia: ¿tal vez por ser yo de México, una tierra que amó siempre? Más allá de estas consideraciones de orden privado, diré que en muchas ocasiones escribo como si sostuviese un diálogo silencioso con Breton: réplica, respuesta, coincidencia, divergencia, homenaje, todo junto. Ahora mismo experimento esa sensación.

En mi adolescencia, en un período de aislamiento y exaltación, leí por casualidad unas páginas que, después lo supe, forman el capítulo v de *L'amour fou.* En ellas relata su ascensión al pico del Teide, en Tenerife. Ese texto, leído casi al mismo tiempo que *The marriage of heaven and hell,* me abrió las puertas de la poesía moderna. Fue un "arte de amar", no a la manera trivial del de Ovidio, sino como una iniciación a algo que después la vida y el Oriente me han corroborado: la analogía o, mejor dicho, la identidad entre la persona amada y la naturaleza. ¿El agua es femenina o la mujer es oleaje, río nocturno, playa del alba tatuada por el viento? Si los hombres somos una metáfora del universo, la pareja es la metáfora por excelencia, el punto de encuentro de todas las fuerzas y la semilla de todas las formas. La pareja es, otra vez, tiempo reconquistado, tiempo antes del tiempo. Contra viento y marea, he procurado ser fiel a esa revelación; la palabra *amor* guarda intactos todos sus poderes sobre mí. O como él dice: "On n'en sera plus jamais quitte avec ces frondaisons de l'âge d'or." En todos sus escritos, desde los primeros hasta los últimos, aparece esta obstinada creencia en una edad paradisiaca, unida a la visión de la pareja primordial. La mujer es puente, lugar de reconciliación entre el mundo natural y el humano. Es lenguaje concreto, revelación encarnada: "la femme n'est plus qu'un calice débordant de voyelles".

Años más tarde conocí a Benjamin Péret, Leonora Carrington, Wolfgang Paalen, Remedios Varo y otros surrealistas que habían buscado refugio en México durante la segunda Guerra Mundial. Vino la paz y volví a ver a Benjamin en París. Él me llevó al café de la Place Blanche. Durante una larga temporada vi a Breton con frecuencia. Aunque el trato asiduo no siempre es benéfico para el intercambio de ideas y sentimientos, más de una vez sentí esa corriente que une realmente a los interlocutores, inclusive si sus puntos de vista no son idénticos. No olvidaré nunca, entre todas esas conversaciones, una que sostuvimos en el verano de 1964, un poco antes de que yo regresase a la India. No la recuerdo por ser la última sino por la atmósfera que la rodeó. No es el momento de relatar ese episodio. (Algún día, me lo he prometido, lo contaré.) Para mí fue un *encuentro*, en el sentido que daba Breton a esta palabra: predestinación y, asimismo, elección. Aquella noche, caminando solos los dos por el barrio de Les Halles, la conversación se desvió hacia un tema que le preocupaba: el porvenir del movimiento surrealista. Recuerdo que le dije, más o menos, que para mí el surrealismo era la enfermedad sagrada de nuestro mundo, como la lepra en la Edad Media o los "alumbrados" españoles en el siglo XVI; negación necesaria de Occidente, viviría tanto como viviese la civilización moderna, independientemente de los sistemas políticos y de las ideologías que predominen en el futuro. Mi exaltación lo impresionó, pero repuso: la negación vive en función de la afirmación y ésta de aquélla; dudo mucho que el mundo que empieza ahora pueda definirse como afirmación o negación: entramos en una zona neutra y la rebelión surrealista deberá expresarse en formas que no sean ni la negación ni la afirmación. Estamos más allá de reprobación o aprobación... No es aventurado suponer que esta idea inspiró la última exposición del grupo: la separación absoluta. No es la primera vez que Breton pidió "la ocultación" del surrealismo, pero pocas veces lo declaró con tal decisión. Quizá pensaba que el movimiento recobraría su fecundidad sólo si se mostraba capaz de convertirse en una fuerza subterránea. ¿Vuelta a las catacumbas? No sé. Me pregunto si en una sociedad como la nuestra, en la que se han desvanecido las antiguas contradicciones —no en beneficio del principio de identidad sino por una suerte de anulación y desvalorización universales—, aún tiene sentido lo que llamaba Mallarmé la "acción restringida": ¿publicar es todavía una forma de la acción, o es una manera de disolverla en el anonimato de la publicidad?

Se dice con frecuencia que la ambigüedad del surrealismo consiste en ser un movimiento de poetas y pintores que, no obstante, se rehusa a ser juzgado con criterios estéticos. ¿No ocurre lo mismo con todas las tendencias artísticas del pasado y con todas las obras de los grandes poetas y pintores? El "arte" es una invención de la estética que, a su vez, es una invención de los filósofos. Nietzsche enterró a las dos y bailó sobre su tumba: lo que llamamos arte es juego. La voluntad surrealista de borrar las fronteras entre el arte y la vida no es nueva; son nuevos los términos en que se expresó y es nuevo el significado de su acción. Ni "vida artística" ni "arte vital": regresar al origen de la palabra, al momento en que hablar es sinónimo de crear. Ignoro cuál será el porvenir del grupo surrealista; estoy seguro de que la corriente que va del romanticismo alemán y de Blake al surrealismo no desaparecerá. Vivirá al margen, será la *otra* voz.

El surrealismo, dicen los críticos, ya no es la vanguardia. Aparte de que tengo antipatía por ese término militar, no creo que la novedad, el estar en la punta del acontecimiento, sea la característica esencial del surrealismo. Ni siquiera Dadá tuvo ese culto frenético por lo nuevo que postularon, por ejemplo, los futuristas. Ni Dadá ni el surrealismo adoraron a las máquinas. El surrealismo las profanó: máquinas improductivas, "élevages de poussière", relojes reblandecidos. La máquina como método de crítica —del maquinismo y de los hombres, del progreso y sus bufonerías. ¿Duchamp es el principio o el fin de la pintura? Con su obra y aún más con su actitud negadora de la obra, Duchamp cierra un período del arte de Occidente (el de la pintura propiamente dicha) y abre otro que ya no es "artístico": la disolución del arte en la vida, del lenguaje en el círculo sin salida del juego de palabras, de la razón en su antídoto filosófico —la risa. Duchamp disuelve la modernidad con el mismo gesto con que niega la tradición. En el caso de Breton, además, hay la visión del tiempo, no como sucesión sino como la presencia constante, aunque invisible, de un presente inocente. El futuro le parecía fascinante por ser el territorio de lo inesperado: no lo que será según la razón, sino lo que podría ser según la imaginación. La destrucción del mundo actual permitiría la aparición del verdadero tiempo, no histórico sino natural, no regido por el progreso sino por el deseo. Tal fue, si no me equivoco, su idea de una sociedad comunista-libertaria. Nunca pensó que hubiese una contradicción esencial entre los mitos y las utopías, la poesía y los programas revolucionarios. Leía a Fourier como podemos leer los Vedas o el Popol Vuh, y los poemas esquimales le parecían profecías revolucionarias. El pasado más antiguo y el futuro más remoto se unían con naturalidad en su espíritu. Del mismo modo: su materialismo no fue un "cientismo" vulgar ni su irracionalismo era odio a la razón.

La decisión de abrazar los términos opuestos —Sade y Rousseau, Novalis y Roussel, Juliette y Eloísa, Marx y Chateaubriand— aparece constantemente en sus escritos y en sus actos. Nada más alejado de esta actitud que la tolerancia acomodaticia del escepticismo. En el mundo del pensamiento odiaba al eclecticismo y en el del erotismo la promiscuidad. Lo mejor de su obra, la prosa tanto como la poesía, son las páginas inspiradas por la idea de elección y la correlativa de fidelidad a esa elección, sea en el arte o en la política, en la amistad o en el amor. Esta idea fue el eje de su vida y el centro de su concepción del amor único: resplandor de la pasión tallado por la libertad, diamante inalterable. Nuestro tiempo ha liberado al amor de las cárceles del siglo pasado sólo para convertirlo en un pasatiempo anónimo, un objeto más de consumo en una sociedad de atareados consumidores. La visión de Breton es la negación de casi todo lo que pasa hoy por amor y aun por erotismo (otra palabra manoseada como una moneda ínfima). Es difícil entender del todo su adhesión sin reservas hacia la obra de Sade. Cierto, lo conmovía y exaltaba el carácter absoluto de su negación, pero ¿cómo conciliarla con la creencia en el amor, centro de la edad de oro? Sade denuncia el amor: es una hipocresía o, peor aún, una ilusión. Su sistema es delirante, no incoherente: su negación no es menos total que la afirmación de San Agustín. Ambos repudian con idéntica violencia todo maniqueísmo; para el santo cristiano el mal no tiene realidad ontológica; para Sade lo que carece de realidad es lo que llamamos bien: su versión del *Contrato social* son los estatutos de la *Sociedad de Amigos del Crimen.*

Bataille intentó transformar el monólogo de Sade en un diálogo y opuso al erotismo absoluto un interlocutor no menos absoluto: la divinidad cristiana. El resultado fue el silencio y la risa: la "ateología". Lo impensable y lo innombrable. Breton se propuso reintroducir el amor en el erotismo o, más exactamente, consagrar al erotismo por el amor. De nuevo: su oposición a todas las religiones implica una voluntad de consagración. Y aún más: una voluntad de reconciliación. Al comentar un pasaje de la *Nouvelle Justine* —el episodio en que uno de los personajes mezcla su esperma a la lava del Etna— Breton observa que el acto es un homenaje de amor a la naturaleza, "une façon, des plus folles, des plus indiscutables de l'aimer". Cierto, su admiración hacia Sade apenas si tenía límites y siempre pensó que "tant qu'on ne sera pas quitte avec l'idée de la transcendance d'un bien quelconque... la représentation exaltée du mal inné gardera la plus grande valeur révolutionnaire". Con esta salvedad, en el diálogo entre Sade y Rousseau, se inclina irresistiblemente del lado de este último, el amigo del hombre primitivo, el amante de la naturaleza. El amor no es una ilusión: es la mediación entre el hombre y la naturaleza, el sitio en que se cruzan el magnetismo terrestre y el del espíritu.

Cada una de las facetas de su obra refleja las otras. Ese reflejo no es el pasivo del espejo: no es una repetición sino una réplica. Haz de luces contrarias, diálogo de resplandores. Magnetismo, revelación, sed de inocencia y, asimismo, desdén. ¿Altanero? Sí, en el sentido noble del término: ave de altanería, pájaro de la altura. Todas las palabras de esta familia le convienen. Fue un alzado, un exaltado, su poesía nos exalta y, sobre todo, dijo que el cuerpo de la mujer y el del hombre eran nuestros únicos altares. ¿Y la muerte? Todo hombre nace y muere varias veces. No es la primera vez que Breton muere. Él lo supo mejor que nadie: cada uno de sus libros centrales es la historia de una resurrección. Sé que ahora es distinto y que no volveremos a verlo. Esta muerte no es una ilusión. Sin embargo, Breton vivió ciertos instantes, vio ciertas evidencias que son la negación del tiempo y de lo que llamamos perspectiva normal de la vida. Llamo poéticos a esos instantes aunque son experiencias comunes a todos los hombres: la única diferencia es que el poeta los recuerda y trata de reencarnarlos en palabras, sonidos, colores. Aquel que ha vivido esos instantes y es capaz de inclinarse sobre su significación, sabe que el yo no se salva porque no existe. Sabe también que, como el mismo Breton lo subrayó varias veces, las fronteras entre sueño y vigilia, vida y muerte, tiempo y presente sin tiempo, son fluidas e indecisas. No sabemos qué sea realmente morir, excepto que es el fin del yo —el fin de la cárcel. Breton rompió varias veces esa cárcel, ensanchó o negó al tiempo y, por un instante sin medida, coincidió con el *otro* tiempo. Esta experiencia, núcleo de su vida y de su pensamiento, es invulnerable e intocable: está más allá del tiempo, más allá de la muerte —más allá de nosotros. Saberlo me reconcilia con su muerte de ahora y con todo morir.

EL PACTO VERBAL Y LAS CORRESPONDENCIAS

Las afinidades entre Rousseau y André Breton son numerosas y evidentes. Además, no son únicamente de orden intelectual sino (y sobre todo) temperamental. Breton tenía conciencia de ellas, pero la crítica, que yo sepa, apenas si las ha examinado. Un excelente ensayo del poeta Ernesto Mejía Sánchez,* leído un poco después de haber escrito las páginas que aparecen más arriba en memoria de Breton, me ha revelado con mayor claridad aún el parentesco entre Rousseau y el fundador del surrealismo. Mejía Sánchez analiza con gran erudición e inteligencia un texto muy poco conocido del primero y en el cual no es ilegítimo ver una suerte de prefiguración de la concepción surrealista del lenguaje. Se trata del *Essai sur l'origine des langues.* Confieso que yo no lo conocía e ignoro si Breton lo leyó alguna vez. Me inclino por la negativa, pues de otra manera lo habría citado en alguno de sus escritos. Coincidencia o influencia, la semejanza salta a los ojos. Por ejemplo, Breton creía que el lenguaje funda a la sociedad y no a la inversa; Mejía Sánchez señala que para Rousseau "hay un pacto lingüístico, anterior al

* "El pensamiento literario de Rousseau", en el volumen *Presencia de Rousseau* publicado por la Universidad de México en 1962.

pacto social". Citaré otras convergencias: la idea del lenguaje como un mecanismo no utilitario y destinado a satisfacer nuestras necesidades pasionales ("on prétend que les hommes inventèrent la parole pour exprimer leurs besoins; cette opinion me paraît insoutenable"... el lenguaje procede "des besoins moraux, des passions"); la metáfora como palabra primordial ("le premier langage dut être figuré"); y la conexión entre imagen verbal y pasión ("l'image illusoire offerte par la passion se montrant la première, le langage qui lui répondait fut aussi le premier inventé; il devient ensuite métaphorique..."). Pasión, lenguaje primordial, metáfora: las ideas y preocupaciones de Breton se encuentran ya en germen en el *Essai sur l'origine des langues.* No insistiré más porque los textos hablan por sí solos. En cambio, recordaré que Breton admiraba ante todo y sobre todos los escritores del siglo XVIII no a Rousseau sino a Sade. Pero ¿lo amaba, se sentía de la misma familia espiritual? Lo dudo. Ya dije que lo fascinaba su negación. Asimismo, un espíritu tan libre como el suyo no podía sino conmoverse ante las persecuciones que sufrió Sade y la entereza moral con que las afrontó, sin jamás abjurar de sus ideas. Sade es un ejemplo de derechura moral y Rousseau no lo es. Aunque Breton también fue íntegro e incorruptible, sus pasiones no fueron las de Sade sino las de Rousseau. Otro tanto ocurre con sus ideas. Unas y otras giran en torno a una realidad que Sade ignoró con ceñuda obstinación: el corazón.

* * *

Según Rousseau, el habla nace "del común acuerdo entre los hombres". Mejía Sánchez comenta: "sólo que esa convención unánime y duradera está dada en la lengua misma. No hay lengua para sí, sino lengua con alguien. Pero Rousseau no podía entrar en esta disyuntiva...". En efecto, es una disyuntiva: el lenguaje no puede ser anterior a la sociedad porque él mismo lo es —su esencia es ser *con* y *para otro*; al mismo tiempo, es indudable que no es la sociedad de los hombres la que hace el lenguaje sino éste es el que hace a la sociedad humana. El lenguaje es exterior a la sociedad porque la funda; es interior porque sólo existe en ella y sólo en ella se despliega. Está en la frontera entre naturaleza y cultura: no aparece en la primera y es la condición de la segunda. ¿Cómo y cuándo empezaron a hablar los hombres? Y sobre todo, ¿por qué hablan? Cualquiera que haya sido la causa o las causas que nos llevaron a pronunciar las primeras onomatopeyas, lo que resulta verdaderamente misterioso es que únicamente el hombre, entre todos los seres vivos, posea la facultad de hablar. Como no creo que el enigma del origen del lenguaje pueda resolverse por el método histórico, no queda más remedio que confiarse a la teología y a la filosofía o a sus modernos sucedáneos, la biología y la antropología. Entre todas esas hipótesis, dos me atraen. Una es la de Rousseau: la intervención de un poder no humano, *divino,* explica el origen del habla. Otra sería la de Lévi-Strauss, aunque él nunca la haya formulado y menos de una manera explícita:* el lenguaje es el resultado de la intervención de un poder no humano, *natural.* Digo "no humano" para expresar que el lenguaje no es un producto de la sociedad sino su condición o fundamento; digo "natural" porque la estructura de las células del cerebro, en que consistiría finalmente el origen de la facultad de significar, se explica por la química y ésta por la física. No es el lenguaje animal el que explica al humano: ambos se insertan en el sistema de relaciones que es la naturaleza y ambos son respuestas distintas a distintos problemas de comunicación.

Las dos hipótesis no son tan contradictorias como parece a primera vista. En una y otra interviene un elemento ajeno al hombre y que no es reductible a la sociedad humana: Dios o la naturaleza. Ese elemento es un agente que trasciende la dicotomía entre cultura y naturaleza y que disipa la distinción entre materia y pensamiento. Esto último es

* Es una consecuencia que yo deduzco de sus ideas.

sorprendente. El pensamiento, expulsado por la ciencia de lo alto de la espiral de la evolución, reaparece en lo más bajo: la estructura física de los átomos y sus partículas es una estructura matemática, una relación. No es menos extraordinario que esa estructura pueda reducirse a un sistema de señales —teoría de la comunicación— y que sea, por tanto, un lenguaje. La facultad de hablar es una manifestación particular de la comunicación natural; el lenguaje humano es un dialecto más en el sistema lingüístico del universo. Podría agregarse: el cosmos es un lenguaje de lenguajes. El nuevo materialismo es al del siglo XIX lo que el de Marx y Darwin fueron al del XVIII. Nuestro materialismo no es dialéctico (histórico) ni biológico (evolucionismo), sino matemático, lingüístico, mental. En rigor, no es ni idealismo ni materialismo. No es lo primero porque reduce la idea a una combinación de llamadas y respuestas fisicoquímicas; no es lo segundo porque concibe a la materia como un sistema de comunicación: el fenómeno es un mensaje o una relación entre factores que sólo por pereza verbal pueden llamarse todavía materiales. La estructura íntima de esos factores no es distinta a la de los símbolos matemáticos y verbales: es un sistema de relaciones. Antes nos regía una Providencia o un Logos, una materia o una historia en perpetuo movimiento hacia formas más perfectas; ahora un pensamiento inconsciente, un mecanismo mental, nos guía y nos piensa. Una estructura matemática nos determina —nos *significa.*

* * *

La idea de que el lenguaje no viene de la necesidad puede parecer extraña, pero no es absurda. Si se reflexiona sobre esto, Rousseau tenía razón. Venga de Dios o de la naturaleza, el lenguaje no está hecho para satisfacer las necesidades biológicas, ya que los animales viven y sobreviven sin lenguaje articulado. Entre el lenguaje animal y el humano hay un hiato porque este último está destinado a satisfacer necesidades no animales, las pasiones, y esas entidades no menos fuertes y no menos ilusorias que las pasiones: tribu, familia, trabajo, Estado, religión, mito, conciencia de la muerte, rito, etc. Esas necesidades son artificiales pues no aparecen entre los animales, pero el artificio que las satisface es *natural*: un sistema de signos producido por las células cerebrales y que no es diferente a los otros sistemas de signos de la naturaleza, de las estrellas a las partículas atómicas. El gran mérito de Rousseau fue haber visto que las fronteras entre cultura y naturaleza son muy tenues. Es una idea que repugna por igual a un cristiano y a un marxista: ambos creen que el hombre es histórico, único, singular. Volver a Rousseau es saludable: es una de esas fuentes que se encuentran en un cruce de caminos, a la entrada de un pueblo. Bebemos con delicia el agua y, antes de perdernos en las callejuelas polvorientas, nos volvemos una vez más para oír el viento entre los árboles. Tal vez el viento dice algo que no es distinto a lo que dice el agua al caer en la piedra. Por un instante entrevemos el sentido de la palabra *reconciliación*.

* * *

Mejía Sánchez advierte que Rousseau, "como previendo la epidemia de *correspondances*, señala la *fausse analogie entre les couleurs et les sons*". Aquí disiento. Si los colores y los sonidos son un lenguaje (y lo son), es claro que hay correspondencia entre ellos. No es una correspondencia explícita porque cada lenguaje posee una clave y hay que traducir lo que dicen los colores al lenguaje de los sonidos o al de las palabras. Todos los días traducimos la clave olfativa a la verbal y ésta a la auditiva o la táctil. Esto es lo que ha hecho, por cierto de una manera admirable, Lévi-Strauss en *Le cru et le cuit*: descifrar la clave mitológica de los indios del Brasil y traducirla a términos de lógica y ciencia contemporáneas. Vivimos inmersos en un lenguaje que no sólo es verbal sino musical y visual, táctil y olfativo, sensible y mental. Se dirá que la correspondencia es ilusoria o subjetiva: la relación entre el signo y su significado es arbitraria, el fruto de una convención. Es verdad —hasta cierto punto: se trata de un problema no del todo elucidado. Pero la objeción carece de peso por otra razón: si aceptamos la idea de Saussure sobre el carácter arbitrario del nexo entre significante y significado, debemos aceptar igualmente que, una vez constituidos los signos, vivimos en un universo de símbolos regido por las correspondencias entre ellos. Desde que nacemos, ingresamos al mundo de los símbolos; apenas nos bautizan, somos un símbolo frente a otros símbolos, una palabra en relación a las otras. Lo que parecía equívoca filosofía de poetas es hoy un hecho reconocido por las ciencias. Un área lingüística es un sistema de símbolos, con variantes, por supuesto, en cada subárea y aun en cada idioma (el simbolismo lingüístico hispanoamericano, por ejemplo, no es idéntico en todo el Continente). Cada área lingüística, por su parte, está en relación con las otras y, por tanto, hay correspondencia entre los diversos sistemas simbólicos que constituyen el conjunto de sociedades humanas. Esos sistemas son las civilizaciones y la totalidad de esos sistemas forman, a su vez, otro universo de símbolos. El pacto verbal es algo más y algo menos que un hecho histórico: es un símbolo de símbolos. Alude a todos los hechos y todos los hechos lo cumplen, lo realizan.

RECAPITULACIONES

El poema es inexplicable, no ininteligible.

Poema es lenguaje rítmico —no lenguaje ritmado (canto) ni mero ritmo verbal (propiedad general del habla, sin excluir a la prosa).

Ritmo es relación de alteridad y semejanza: este sonido *no* es aquél, este sonido es *como* aquél.

El ritmo es la metáfora original y contiene a todas las otras. Dice: la sucesión es repetición, el tiempo es no-tiempo.

Lírico, épico o dramático, el poema es sucesión y repetición, fecha y rito. El "happening" también es poema (teatro) y rito (fiesta) pero carece de un elemento esencial: el ritmo, la reencarnación del instante. Una y otra vez repetimos los endecasílabos de Góngora y los monosílabos con que termina el *Altazor* de Huidobro; una y otra vez Swan escucha la sonata de Vinteuil, Agamenón inmola a Ifigenia, Segismundo descubre que sueña despierto —el "happening" sucede sólo una vez.

El instante se disuelve en la sucesión anónima de los otros instantes. Para *salvarlo* debemos *convertirlo* en ritmo. El "happening" abre otra posibilidad: el instante que no se repite. Por definición, ese instante es el último: el "happening" es una alegoría de la muerte.

El circo romano es la prefiguración y la crítica del "happening". La prefiguración: en un "happening" coherente con sus postulados todos los actores deberían morir; la crítica: la representación del instante último exigiría la extirpación de la especie humana. El único acontecimiento irrepetible: el fin del mundo.

Entre el circo romano y el "happening": la corrida de toros. El riesgo, pero asimismo el estilo.

El poema hecho de una sola sílaba no es menos complejo que la *Divina comedia* o *El paraíso perdido*. El sutra *Satasahasrika* expone la doctrina en cien mil estrofas; el *Eksaksari* en una sílaba: *a*. En el sonido de esa vocal se condensa todo el lenguaje, todas las significaciones y, simultáneamente, la final ausencia de significación del lenguaje y del mundo.

Comprender un poema quiere decir, en primer término, *oírlo*.

Las palabras entran por el oído, aparecen ante los ojos, desaparecen en la contemplación. Toda lectura de un poema tiende a provocar el silencio.

Leer un poema es oírlo con los ojos; oírlo, es verlo con los oídos.

En los Estados Unidos está de moda que los poetas lean en público sus poemas. La experiencia es equívoca porque la gente ha olvidado el arte de oír poesía; además, los poetas modernos son escritores y, así, "malos actores de sus propias emociones". Pero la futura poesía será oral. Colaboración entre las máquinas parlantes, las pensantes y un *público de poetas*, será el *arte de escuchar y combinar los mensajes*. ¿Y no es esto lo que hacemos ahora cada vez que leemos un libro de poemas?

Al leer o escuchar un poema, no olemos, saboreamos o tocamos las palabras. Todas esas sensaciones son imágenes mentales. Para sentir un poema hay que comprenderlo; para comprenderlo: oírlo, verlo, contemplarlo —convertirlo en eco, sombra, nada. Comprensión es ejercicio espiritual.

Duchamp decía: si un objeto de tres dimensiones proyecta una sombra de dos dimensiones, deberíamos imaginar ese objeto desconocido de cuatro dimensiones cuya sombra somos. Por mi parte me fascina la búsqueda del objeto de una dimensión que no arroja sombra alguna.

Cada lector es otro poeta; cada poema, otro poema.

En perpetuo cambio, la poesía no avanza.

En el discurso una frase prepara a la otra; es un encadenamiento con un principio y un fin. En el poema la primera frase contiene a la última y la última evoca a la primera. La poesía es nuestro único recurso contra el tiempo rectilíneo —contra el progreso.

La moral del escritor no está en sus temas ni en sus propósitos sino en su conducta frente al lenguaje.

En poesía la técnica se llama moral: no es una manipulación sino una pasión y un ascetismo.

El falso poeta habla de sí mismo, casi siempre en nombre de los otros. El verdadero poeta habla con los otros al hablar consigo mismo.

La oposición entre obra cerrada y obra abierta no es absoluta. Para consumarse, el poema hermético necesita la intervención de un lector que lo descifre. El poema abierto implica, asimismo, una estructura mínima: un punto de partida o, como dicen los budistas: un "apoyo" para la meditación. En el primer caso, el lector *abre* el poema; en el segundo, lo completa, lo *cierra.*

La página en blanco o cubierta únicamente de signos de puntuación es como una jaula sin pájaro. La verdadera obra abierta es aquella que *cierra* la puerta: el lector, al abrirla, deja escapar al pájaro, al poema.

Abrir el poema en busca de *esto* y encontrar *aquello* —siempre otra cosa.

Abierto o cerrado, el poema exige la abolición del poeta que lo escribe y el nacimiento del poeta que lo lee.

La poesía es lucha perpetua contra la significación. Dos extremos: el poema abarca todos los significados, es el significado de todas las significaciones; el poema niega toda significación al lenguaje. En la época moderna la primera tentativa es la de Mallarmé; la segunda, la de Dadá. Un lenguaje más allá del lenguaje o la destrucción del lenguaje por medio del lenguaje.

Dadá fracasó porque creyó que la derrota del lenguaje sería el triunfo del poeta. El surrealismo afirmó la supremacía del lenguaje sobre el poeta. Toca a los poetas jóvenes borrar la distinción entre creador y lector: descubrir el punto de *encuentro* entre el que habla y el que oye. Ese punto es el centro del lenguaje: no el diálogo, el yo y el tú, ni el yo reduplicado, sino el monólogo plural —la incoherencia original, la *otra coherencia*. La profecía de Lautréamont: la poesía será hecha por todos.

Desde la disgregación del catolicismo medieval, el arte se separó de la sociedad. Pronto se convirtió en una religión individual y en el culto privado de unas sectas. Nació la "obra de arte" y la idea correlativa de "contemplación estética". Kant y todo lo demás. La época que comienza acabará por fin con las "obras" y disolverá la contemplación en el *acto*. No un arte nuevo: un nuevo ritual, una fiesta —la invención de una forma de *pasión* que será una repartición del tiempo, el espacio y el lenguaje.

Cumplir a Nietzsche, llevar hasta su límite la negación. Al final nos espera el juego: la fiesta, la consumación de la obra, su encarnación momentánea y su dispersión.

Llevar hasta su límite la negación. Allá nos espera la contemplación: la desencarnación del lenguaje, la transparencia.

Lo que nos propone el budismo es el fin de las relaciones, la abolición de las dialécticas —un silencio que no es la disolución sino la *resolución* del lenguaje.

El poema debe provocar al lector: obligarlo a oír —a oírse.

Oírse: o irse. ¿Adónde?

La actividad poética nace de la desesperación ante la impotencia de la palabra y culmina en el reconocimiento de la omnipotencia del silencio.

No es poeta aquel que no haya sentido la tentación de destruir el lenguaje o de crear otro, aquel que no haya experimentado la fascinación de la no-significación y la no menos aterradora de la significación indecible.

Entre el grito y el callar, entre el significado que es todos los significados y la ausencia de significación, el poema se levanta. ¿Qué dice ese delgado chorro de palabras? Dice que no dice nada que no hayan ya dicho el silencio y la gritería. Y al decirlo, cesan el rüido y el silencio. Precaria victoria, amenazada siempre por las palabras que no dicen nada, por el silencio que dice: nada.

Creer en la eternidad del poema sería tanto como creer en la eternidad del lenguaje. Hay que rendirse a la evidencia: los lenguajes nacen y mueren, todos los significados un día dejan de tener significado. ¿Y este dejar de tener significado no es el significado de la significación? Hay que rendirse a la evidencia...

Triunfo de la palabra: el poema es como esos desnudos femeninos de la pintura alemana que simbolizan la victoria de la muerte. Monumentos vivos, gloriosos, de la corrupción de la carne.

La poesía y la matemática son los dos polos extremos del lenguaje. Más allá de ellos no hay nada —el territorio de lo indecible; entre ellos, el territorio inmenso, pero finito, de la conversación.

Enamorado del silencio, el poeta no tiene más remedio que hablar.

La palabra se apoya en un silencio *anterior* al habla —un presentimiento de lenguaje. El silencio, *después* de la palabra, reposa en un lenguaje —es un silencio cifrado. El poema es el tránsito entre uno y otro silencio— entre el querer decir y el callar que funde querer y decir.

Más allá de la sorpresa y de la repetición: ———

II

CONOCIMIENTO, DROGAS, INSPIRACIÓN – HENRI MICHAUX – GRACIA, ASCETISMO, MÉRITOS – PARAÍSOS – LAS METAMORFOSIS DE LA PIEDRA – EL BANQUETE Y EL ERMITAÑO – EL CINE FILOSÓFICO DE BUÑUEL — ATEÍSMOS — NIHILISMO Y DIALÉCTICA — LA PERSONA Y EL PRINCIPIO – EL LIBERADO Y LOS LIBERTADORES

Hay más de una semejanza entre la poesía moderna y la ciencia. Ambas son experimentos, en el sentido de "prueba de laboratorio": se trata de provocar un fenómeno, por la separación o combinación de ciertos elementos, sometidos a la presión de una energía exterior o dejados a la acción de su propia naturaleza. La operación, además, se realiza en un espacio cerrado, dentro del mayor aislamiento. El poeta procede con las palabras como el hombre de ciencia con las células, los átomos y otras partículas materiales: las arranca de su medio natural, el lenguaje diario, las aísla en una suerte de cámara de vacío, las reúne o separa y, en fin, observa y aprovecha las propiedades del lenguaje como el investigador las de la materia. La analogía podría llevarse más lejos. Carece de interés porque la semejanza no reside tanto en un parecido externo —manipulaciones verbales y de laboratorio— como en la actitud ante el objeto.

Mientras escribe, mientras somete a prueba sus ideas y sus palabras, el poeta no sabe exactamente qué es lo que va a ocurrir. Su actitud frente al poema es empírica. No pretende confirmar una verdad revelada, como el creyente; ni fundirse a una realidad trascendente, como el místico; ni demostrar una teoría, como el ideólogo. El poeta no postula ni afirma nada de antemano; sabe que no son las ideas sino los resultados, las obras y no las intenciones, lo que cuenta. ¿No es ésta la actitud de los hombres de ciencia? Cierto, el ejercicio de la poesía y el de la ciencia no implican una renuncia absoluta a concepciones e intuiciones previas. Pero no son las teorías ("hipótesis de trabajo") las que justifican a la experiencia, sino a la inversa. A veces la "prueba" contradice nuestras previsiones y se producen efectos distintos a los que esperábamos. Al poeta y al investigador no les cuesta mucho trabajo resignarse; ambos aceptan que la realidad tiene una manera de conducirse que es independiente de nuestra filosofía. No son doctrinarios; no nos ofrecen sistemas previos sino hechos ya comprobados, resultados y no hipótesis, obras y no ideas. Las verdades que buscan son distintas pero para alcanzarlas usan métodos parecidos. El rigor material se une a la objetividad más estricta, es decir, al respeto por la autonomía del fenómeno. Un poema y una verdad científica son algo más que una teoría o una creencia: han resistido el ácido de la prueba y el fuego de la crítica. Poemas y verdades científicas son algo muy distinto de las ideas de los poetas y los hombres de ciencia. Pasan los estilos artísticos y la filosofía de las ciencias; no pasan las obras de arte ni las verdaderas verdades de la ciencia.

Las semejanzas entre ciencia y poesía no deben hacernos olvidar una diferencia decisiva: el sujeto de la experiencia. El hombre de ciencia es un observador y, al menos voluntariamente, no participa en la experiencia. Digo "al menos voluntariamente" porque en ciertas ocasiones el observador fatalmente forma parte del fenómeno y, en consecuencia, lo altera. En el caso de la poesía moderna, el sujeto de la experiencia es el poeta mismo: él es el observador y el fenómeno observado. Su cuerpo y su psiquis, su ser entero, son el campo en donde se operan toda suerte de tranformaciones. La poesía moderna es un *conocimiento* experimental del sujeto mismo que conoce. Ver con los oídos, sentir con el pensamiento, combinar y usar hasta el límite nuestros poderes, para conocer un poco más de nosotros mismos y descubrir realidades incógnitas, ¿no es ése el fin que asignan a la poesía espíritus tan diversos como Coleridge, Baudelaire y Apollinaire? Cito apenas unos cuantos nombres porque creo que nadie pone en duda que ésta es una de las direcciones cardinales del espíritu poético, desde el principio del siglo pasado hasta nuestros días. Y aún podría agregar que la verdadera modernidad de la poesía consiste en haber conquistado su autonomía La poesía ha dejado de ser la servidora de la religión o de la filosofía; como la ciencia, explora el universo por cuenta propia. Y en esto también se parecen algunos poetas y hombres de ciencia: unos y otros no han vacilado en someterse a ciertas experiencias peligrosas, con riesgo de su vida o de su integridad espiritual, para penetrar en zonas vedadas. La poesía es un saber; y un saber experimental.

Una de las pretensiones más irritantes de la poesía moderna es la de presentarse como una visión, esto es, como un conocimiento de realidades ocultas, invisibles. Se dirá que lo mismo han dicho los poetas de todos los tiempos y lugares. Pero Homero, Virgilio o Dante aseguran que se trata de una revelación que viene del exterior: un dios o un demonio habla por su boca. Hasta Góngora finge creer en este poder sobrenatural: "Cuantos me dictó versos dulce Musa..." El poeta moderno declara que habla en nombre propio: sus visiones las saca de sí mismo. No deja de ser turbador que la desaparición de las potencias divinas coincida con la aparición de las drogas como donadoras de la visión poética. El demonio familiar, la musa o el espíritu divino ceden el sitio al láudano, al opio, al hachís y, más recientemente, a dos drogas mexicanas: el peyote (mezcalina) y los hongos alucinógenos. La antigüedad conoció muchas drogas y las utilizó con fines de contemplación, revelación y éxtasis. El nombre original de los hongos sagrados de México es teononáncatl, que quiere decir "carne de dios, hongo divino". Los indios americanos y muchos pueblos de Oriente y África aún emplean las drogas con fines religiosos. Yo mismo, en India, en una fiesta religiosa, tuve oportunidad de probar una variedad del hachís llamada *bhang*; todos los concurrentes, sin excluir a los niños, comieron o bebieron esa sustancia. La diferencia es la siguiente: para los creyentes estas prácticas constituyen un rito; para algunos poetas modernos y para muchos investigadores, una experiencia.

Baudelaire es uno de los primeros que se inclina

con "ánimo filosófico", como él mismo dice, sobre los fenómenos espirituales que engendra el uso de las drogas. Es verdad que muchas de sus observaciones vienen de Thomas de Quincey y que, ya antes, Coleridge decía que la composición de uno de sus poemas más célebres se debía a una visión producida por el láudano durante la cual "all the images rose up as things, with a parallel production of the correspondent expressions, without any sensation or consciousness of effort". Pero ni De Quincey ni Coleridge, me parece, intentaron extraer una estética y una filosofía de su experiencia. Baudelaire, en cambio, afirma que ciertas drogas intensifican de tal modo nuestras sensaciones y las combinan de tal suerte que nos permiten contemplar la vida en su totalidad. La droga provoca la visión de la correspondencia universal, suscita la analogía, pone en movimiento a los objetos, hace del mundo un vasto poema hecho de ritmos y rimas. La droga arranca al paciente de la realidad cotidiana, enmaraña nuestra percepción, altera las sensaciones y, en fin, pone en entredicho al universo. Esta ruptura con el exterior sólo es una fase preliminar; con la misma implacable suavidad la droga nos introduce en el interior de otra realidad: el mundo no ha cambiado pero ahora lo vemos regido por una armonía secreta. La visión de Baudelaire es la de un poeta. El hachís no le reveló la filosofía de la correspondencia universal ni la del lenguaje como un organismo animado, dueño de vida propia y, en cierto modo, arquetipo de la realidad: la droga le sirvió para penetrar más profundamente en sí mismo. A semejanza de otras experiencias de veras decisivas, la droga trastorna la ilusoria realidad cotidiana y nos obliga a contemplarnos por dentro. No nos abre las puertas de otro mundo ni pone en libertad a nuestra fantasía; más bien abre las puertas de *nuestro* mundo y nos enfrenta a *nuestros* fantasmas.

La tentación de las drogas, dice Baudelaire, es una manifestación de nuestro amor por el infinito. La droga nos devuelve al centro del universo, punto de intersección de todos los caminos y lugar de reconciliación de todas las contradicciones. El hombre regresa, por decirlo así, a su inocencia original. El tiempo se detiene, sin cesar de fluir, como una fuente que cae interminablemente sobre sí misma, de modo que ascenso y caída se funden en un solo movimiento. El espacio se convierte en un sistema de señales relampagueantes y los cuatro puntos cardinales nos obedecen. Todo esto se logra por medio de una comunión química. Un compuesto farmacéutico —señala el poeta— nos abre las puertas del paraíso. Esta idea no deja de ser escandalosa e irrita a muchos espíritus. A los hombres prácticos les parece nociva y antisocial: el uso de las drogas desvía al hombre de sus actividades productivas, relaja su voluntad y lo transforma en un parásito. ¿No puede decirse lo mismo de la mística y, en general, de toda actitud contemplativa? La condenación de las drogas por causa de utilidad social podría extenderse (y de hecho se extiende) a la mística, al amor y al arte. Todas estas actividades son antisociales y de ahí que, en la imposibilidad de extirparlas del todo, se trate siempre de limitarlas. Para los espíritus religiosos —y aun para el sentido moral corriente— no es menos repugnante la idea de la droga como donadora de la visión divina o, por lo menos, de cierta paz espiritual. Los que así piensan quizá no han reparado en que no se trata de una sustitución de los antiguos poderes sobrenaturales. La evaporación de la idea de Dios en el mundo moderno no procede de la aparición de las drogas (conocidas, por otra parte, desde hace milenios). Tal vez podría decirse lo contrario: el uso de las drogas delata que el hombre no es un ser *natural*; al lado de la sed, el hambre, el sueño y el placer sexual, padece nostalgia de infinito. Lo sobrenatural —para emplear una expresión fácil aunque inexacta— forma parte de su naturaleza. Todo lo que hace, sin excluir los actos más simples y materiales, está teñido de aspiración hacia lo absoluto. La imaginación —la facultad de producir o descubrir imágenes y la tentación de encarnar en esas imágenes— es su fondo último, su fondo sin fin.

Henri Michaux ha publicado en los últimos años tres libros en los que relata sus encuentros con la mezcalina.* Hay que agregar, además, una turbadora serie de dibujos —la mayoría en blanco y negro, otros en color— ejecutados poco después de cada experiencia. Prosa, poemas y dibujos se interpenetran, prolongan e iluminan mutuamente. Los dibujos no son meras ilustraciones de los textos. La pintura de Michaux nunca ha sido subsidiaria de su poesía: se trata de mundos autónomos y complementarios a un tiempo. Pero en el caso de la experiencia "mezcaliniana" las líneas y las palabras forman un todo difícilmente disociable. Formas, ideas y sensaciones se entrelazan como si fuesen una sola y vertiginosa criatura. En cierto modo los dibujos, lejos de ser *ilustraciones* de la palabra escrita, son una suerte de *comentario*. El ritmo y el movimiento de las líneas hacen pensar en una inusitada notación musical, sólo que no estamos frente a una escritura de sonidos o ideas sino de vértigos, desgarraduras y reuniones del ser. Incisiones en la corteza del tiempo, a medio camino entre el signo ideográfico y la inscripción mágica, caracteres y formas "más sensibles que legibles", estos dibujos son una crítica a la escritura poética y pictórica, esto es, una prolongación del signo y la imagen, un más allá de la palabra y la línea.

Pintura y poesía son lenguajes con los que Michaux se ha esforzado por decir algo que es propiamente indecible. Poeta, empezó a pintar cuando advirtió que este nuevo medio le permitiría decir lo que su poesía ya no podía decir. ¿Pero se trata

* *Misérable miracle* (1956); *L'infini turbulent* (1957); y *Paix dans les brisements* (1959). En *Lettres Nouvelles* (núm. 35), apareció un breve texto de Michaux sobre los hongos alucinógenos: *La Psilocybine* (*Expérience et autocritique*). Sobre este último tema véase el libro de Roger Heim y R. Gordon Wasson: *Les champignons hallucinogènes du Mexique,* París, 1958.

de decir? Quizá Michaux nunca se ha propuesto decir. Todas sus tentativas se dirigen a tocar esa zona, por definición inexpresable e incomunicable, en donde los significados desaparecen, devorados por las evidencias. Centro nulo y henchido, vacío y repleto de sí al mismo tiempo. El signo y lo señalado —la distancia entre el objeto y la conciencia que lo contempla— se evaporan ante la presencia abrumadora, que sólo es. La obra de Michaux —poemas, viajes reales e imaginarios, pintura— es una larga y sinuosa expedición hacia algunos de nuestros infinitos —los más secretos, los más temibles y, asimismo, los más irrisorios— en busca siempre del *otro* infinito.

Michaux viaja en sus lenguajes: líneas, palabras, colores, silencios, ritmos. Y no teme romperle el espinazo a un vocablo como el jinete que no vacila en reventar una cabalgadura. Llegar: ¿adónde? A ese ninguna parte que es todas partes y aquí. Lenguaje-vehículo pero también lenguaje-cuchillo y lámpara de minero. Lenguaje-cauterio y lenguaje-venda, lenguaje-bruma y sirena entre la bruma. Pico contra la roca y centella en plena noche. Las palabras vuelven a ser instrumentos, prolongaciones de la mano, el ojo, el pensamiento. Lenguaje no-artístico. Palabras cortantes y tajantes, reducidas a su función más inmediata y agresiva: abrirse paso. Se trata, sin embargo, de una utilidad paradójica, pues ya no están al servicio de la comunicación sino de lo incomunicable. Empresa inhumana y, acaso, sobrehumana. La tensión extraordinaria del lenguaje de Michaux procede de que toda su acerada eficacia está regida por una voluntad lanzada al encuentro de algo que es lo ineficaz por excelencia: ese estado de no saber que es el saber absoluto, el pensamiento que ya no piensa porque se ha unido a sí mismo, la transparencia infinita, el torbellino inmóvil.

Misérable miracle se abre con esta frase: "Esto es una exploración. Por la palabra, el signo, el dibujo. La Mezcalina es la explorada". Al terminar el libro me pregunté si el resultado de la experiencia no había sido el contrario: el poeta Michaux explorado por la mezcalina. ¿Exploración o encuentro? Más bien lo segundo. Cuerpo a cuerpo con la droga, con el temblor de la tierra, con el temblor del ser sacudido por su enemigo interior —un enemigo que se funde con nuestro propio ser, un enemigo que es indistinguible e inseparable de nosotros. Encuentro con la mezcalina: encuentro con nosotros mismos, con el conocido-desconocido. El doble que lleva por máscara nuestro rostro. El rostro que se borra y se transforma en una inmensa mueca de burla. El demonio. El payaso. Ése no soy yo. Ése soy yo. Martirrisible aparición. Y al volver el rostro: no hay nadie. También yo me he ido de mí mismo. Espacio, espacio, vibración pura. Gran regalo, don de dioses, la mezcalina es una ventana donde la mirada se desliza infinitamente sin encontrar nada sino su mirada. No hay yo: hay el espacio, la vibración, la vivacidad perpetua. Luchas, terrores, exaltaciones, pánicos, delicias: ¿es Michaux o la mezcalina? Todo ya estaba en Michaux, todo ya existía en sus libros anteriores. La mezcalina fue una *confirmación*. Mezcalina: testimonio. El poeta vio su espacio interior en el espacio de afuera. Tránsito del interior al exterior —un exterior que es la interioridad misma, el núcleo de la realidad. Espectáculo atroz e inefable. Michaux puede decir: salí de mi vida para vislumbrar la vida.

Todo empieza con una vibración. Movimiento imperceptible que se acelera minuto tras minuto. Viento, largo silbido, afilado huracán, torrente de rostros, formas, líneas. Todo cayendo, avanzando, ascendiendo, desapareciendo, reapareciendo. Vertiginosa evaporación y condensación. Burbujas, burbujas, guijarros, piedrecillas. Rocas de gas. Líneas que se cruzan, ríos que se anudan, infinitas bifurcaciones, meandros, deltas, desiertos que marchan, desiertos que vuelan. Disgregaciones, aglutinaciones, fragmentaciones, reconstituciones. Palabras quebradas, cópula de sílabas, fornicación de significados. Destrucción del lenguaje. La mezcalina reina por el silencio —¡y grita, grita sin boca y caemos en su silencio! Retorno a las vibraciones, entrada en las ondulaciones. Repeticiones: la mezcalina es un "mecanismo de infinito". Heterogeneidad, manar continuo de fragmentos, partículas, pedazos. Series exasperadas. Nada está fijo. Avalanchas, reino del número innumerable, execrable proliferación. Espacio gangrenado, tiempo canceroso. ¿No hay centro? Sacudido por la ráfaga de la mezcalina, chupado por el torbellino abstracto, el occidental moderno no encuentra a qué asirse. Ha olvidado los nombres, Dios ya no se llama Dios. Al azteca o al tarahumara le bastaba con pronunciar el nombre para que descendiese la presencia divina, en sus infinitas manifestaciones. Unidad y pluralidad de los antiguos. Nosotros, a falta de dioses: Pululación y Tiempo. Hemos perdido los nombres. Nos quedamos con "las causas y los efectos, los antecedentes y los consecuentes". Espacio repleto de insignificancias. La heterogeneidad es repetición, masa amorfa. Miserable milagro.

El primer encuentro con la mezcalina se termina con el descubrimiento de un "mecanismo de infinito". La infinita producción de colores, ritmos y formas se revela al fin como una aterradora y risible cascada de baratijas. Somos millonarios de feria. La segunda serie de experiencias (*L'infini turbulent*) provocó reacciones y visiones inesperadas. Expuesto a descargas fisiológicas continuas y a una tensión psíquica implacable, el ser se abrió. La exploración de la mezcalina, como el incendio o el temblor de tierra, fue devastadora; sólo quedó en pie lo esencial, aquello que, por ser infinitamente débil, es infinitamente fuerte. ¿Cómo se llama esta facultad? ¿Se trata de una facultad, de un poder o, más bien, de la ausencia de poder, del total desamparo del hombre? Me inclino por lo segundo. Ese desamparo es nuestra fuerza. En el momento último, cuando ya nada queda en nosotros —pérdida del yo, pérdida de la identidad— se opera la fusión con algo ajeno y que, sin embargo, es nuestro, lo único en verdad nuestro. El hueco, el agujero que somos se llena hasta rebasar, hasta volverse fuente.

En la extrema sequía brota el agua. Quizá hay un punto de unión entre el ser del hombre y el ser del universo. Por lo demás, nada positivo: agujero, abismo, infinito turbulento. Estado de abandono, enajenación —pero no demencia. Los locos están encerrados en su locura, que es, por decirlo así, un error ontológico: tomar la parte por el todo. A igual distancia de cordura y locura, la visión que relata Michaux es total: contemplación de lo demoniaco y lo divino —no hay más remedio que usar estas palabras— como una realidad inseparable, como la realidad última. ¿Del hombre o del universo? No sé. Tal vez del universo-hombre. El hombre penetrado, conquistado por el universo.

El trance demoniaco fue sobre todo la revelación de un erotismo transhumano —y por eso infinitamente perverso. Una violación psíquica, un insidioso abrir y extender y desplegar las partes más secretas del ser. Nada sexual. Un universo infinitamente sensual y del que habían desaparecido el cuerpo y la figura humanos. No el "triunfo de la materia" o de la carne sino la visión del reverso del espíritu. Lascivia abstracta: "Disolución —palabra justa y que comprendí en un relámpago... Gozo en la delicuescencia". La tentación, en el sentido literal de la palabra y a la que todos los grandes místicos (cristianos, budistas, árabes) se han referido. Confieso, no obstante, que no comprendo del todo este pasaje. Quizá la repulsión de Michaux se debió no tanto al contacto de Eros como a la visión de la confusión cósmica, es decir, a la revelación del caos. Entrañas del ser al descubierto, reverso de la presencia, el caos es el amasijo primordial, el antiguo desorden y, asimismo, la matriz universal. Experimenté una sensación parecida, aunque mucho menos intensa y que afectó sólo a las capas más superficiales de mi conciencia, en el gran verano de la India, durante mi primera visita, en 1952. Caído en la gran boca jadeante, el universo me pareció una inmensa, múltiple fornicación. Vislumbré entonces el significado de la arquitectura de Konarak y del ascetismo erótico. La visión del caos es una suerte de baño ritual, una regeneración por la inmersión en la fuente original, verdadero regreso a la "vida anterior". Primitivos, chinos taoístas, griegos arcaicos y otros pueblos no temen al contacto tremendo. La actitud occidental es enfermiza. Es moral. Gran aisladora, gran separadora, la moral parte en dos al hombre. Volver a la unidad de la visión es reconciliar cuerpo, alma y mundo. Al final de la prueba Michaux recuerda un fragmento de un poema tántrico:

Inaccesible a las impregnaciones,
Gozando todos los goces,
Tocando todo como el viento,
Todo penetrándolo como el éter,
El yoguín siempre puro
Se baña en el río perpetuo.
Goza todos los goces y nada lo mancha.

La visión divina —inseparable de la demoniaca, ya que ambas son revelaciones de la *unidad*— se inició con la "aparición de los dioses". Miles, cientos de miles, uno tras otro, en largas hileras, infinito de rostros augustos, horizonte de presencias benéficas. Estupor y reconocimiento. Pero antes: oleadas de blancos. En todas partes la blancura, sonora, resplandeciente. Y luz, mares de luz. Después, las imágenes divinas desaparecieron sin que cesase de manar la cascada tranquila y gozosa del ser. Admiración: "yo me adhiero a la divina perfección de la continuación del Ser a lo largo del tiempo, continuación que es de tal modo hermosa —hermosa hasta perder el conocimiento— que los dioses, como dice el *Mahabarata,* los dioses mismos, se encelan y vienen a admirarla". Confianza, fe (¿en qué? fe sin más), sensación de transcurrir con la perfección que transcurre (y no transcurre), incansable, igual a sí misma. Un instante nace, asciende, se abre, desaparece en el momento en que otro instante nace y asciende. Dicha tras dicha. Sentimiento indecible de abandono y seguridad. A la visión de los dioses sucede la no visión: estamos en el centro del tiempo. Este viaje es un regreso: desprendimiento, desaprendizaje, vuelta al nacimiento. Al leer estas páginas de Michaux recordé un objeto que hace algunos años me mostró el pintor Paalen: un trozo de cuarzo en el que estaba grabada la imagen del viejo Tláloc. Se acercó a una ventana y lo puso contra el sol:

Tocado por la luz
El cuarzo es ya cascada.
Sobre las aguas flota, niño, el dios.

La no visión: fuera de la actualidad, la historia, los propósitos, los cálculos, el odio, el amor, "más allá de las resoluciones y las irresoluciones, *más allá de las preferencias*", el poeta regresa a un perpetuo nacimiento y escucha "el poema interminable, sin rimas, sin música, sin palabras, que sin cesar pronuncia el Universo". La experiencia divina es participación en un infinito que es medida y ritmo. Fatalmente vienen a los labios las palabras agua, música, luz, gran espacio abierto, resonante. El yo desaparece pero en el hueco que ha dejado no se instala otro Yo. Ningún dios sino lo divino. Ninguna fe sino el sentimiento anterior que sustenta a toda fe, a toda esperanza. Ningún rostro sino el ser sin rostro, el ser que es todos los rostros. Paz en el cráter, reconciliación del hombre —lo que queda del hombre— con la presencia total.

Al principiar su experiencia Michaux escribe: "me propongo explorar la mediocre condición humana". Esta frase —aplicable, por otra parte, a toda la obra de Michaux y a la de cualquier gran artista— se reveló, en su segunda parte, singularmente falsa. La exploración mostró que el hombre no es una criatura mediocre. Una parte de sí —tapiada, oscurecida desde el principio del principio— está abierta al infinito. La llamada condición humana es un punto de intersección de otras fuerzas. Quizá nuestra condición no es humana.

GRACIA, ASCETISMO, MÉRITOS *

Ante experiencias como las relatadas por Michaux nos volvemos a hacer la pregunta: ¿la farmacia sustituye a la gracia, la visión poética es una reacción bioquímica? Coleridge atribuye al láudano la composición de Kubla-Khan; Michaux piensa que un estado de debilidad fisiológica —fiebre ligera, inflamación de las anginas— y un exceso en la dosis, bastaron para desencadenar el torrente. La relación entre los estados fisiológicos y los psíquicos no ofrece dudas. El ayuno, los ejercicios respiratorios, la flagelación, la inmovilidad prolongada, el confinamiento solitario en celdas y cavernas, la exposición en lo alto de columnas o montañas, el canto, la danza, los perfumes, la repetición durante horas de una palabra, son prácticas que trastornan nuestras funciones físicas y provocan la visión. Lo que llamamos espíritu parece depender de los cambios químicos y biológicos; pero también lo que llamamos materia se nos ha vuelto energía, tiempo, agujero, caída y, en fin, algo que ya no es medible. No me preocupa la antigua querella entre materialismo y espiritualismo sino la fragilidad de nuestras concepciones morales frente a la embestida de la droga. Entre las numerosas observaciones de Michaux hay una que me obsesionó durante algún tiempo: la visión demoniaca fue *posterior* a la divina. Quizá se trata, como lo he insinuado antes, de una idea moral, dualista: la mezcalina es singularmente desdeñosa de las ideas de bien y mal. Desdeñosa y generosa, pues otorga la visión sin pensar en los "méritos" del que la recibe. Una y otra vez Michaux habla de "infinito no merecido". Vale la pena detenerse en

* Tal vez no sea necesario aclarar que todo lo que he dicho y diré se refiere exclusivamente a las sustancias alucinógenas que, como es sabido, en general no provocan propensión fisiológica o vicio.

esta frase, dueña de una inequívoca resonancia. Muchos místicos y visionarios han dicho lo mismo.

Las alteraciones fisiológicas no producen automáticamente las visiones; tampoco todas tienen el mismo carácter. Basta comparar, para escoger un ejemplo a la mano, las imágenes que los hongos mexicanos provocaron en Wasson con las de los profesores y estudiantes sometidos por el doctor Heim a una prueba análoga.* Así pues, la intervención de la psique individual es decisiva. Ya Baudelaire decía, recordando a De Quincey, que el opio produce sueños distintos en un carnicero y en un poeta. Pues bien, la acción de la droga resulta desconcertante precisamente en la esfera de la moral: el asesino puede tener visiones de ángel; el hombre recto, sueños infernales. Las visiones dependen de cierta sensibilidad (¿facultad?) psíquica que varía de individuo a individuo pero que no depende del mérito o la conducta personal. La droga es nihilista: mina todos los valores y trastorna radicalmente nuestras ideas acerca del bien y del mal, lo justo y lo injusto, lo permitido y lo prohibido. Su acción es una burla a nuestra moral de premio y castigo. Esta idea me regocija y me azora: la droga introduce otra justicia, fundada en el azar o en circunstancias que no podemos determinar. Distribuye distraídamente algo que siempre se ha considerado como la recompensa de los santos, los sabios y los justos —el máximo bien que el hombre puede alcanzar sobre la tierra: la visión, el vislumbre de la perfecta armonía. Y con el mismo gesto con que otorga la paz espiritual a los indignos, regala infiernos a los inocentes. Si la farmacia sustituye a Dios, hay que convenir en que se trata de una química perversa.

Nuestra perplejidad quizá desaparecería si, en lugar de pensar en un dios que obra como una droga, pensamos en una droga que obra como un dios. Quiero decir: si remplazamos las nociones de azar, fatalidad y necesidad por las de gracia y li-

* Cf. *Les champignons hallucinogènes du Mexique.*

bertad. La droga nos abre las puertas de "otro mundo". Si esta expresión tiene un sentido, significa que efectivamente ingresamos a un reino en donde no rigen las mismas leyes que en el nuestro. Ni las materiales ni las morales. ¿No sucede lo mismo con la experiencia mística? Todos los textos insisten en el carácter paradójico de la visión. La alteración de los principios lógicos y, en general, de lo que se considera el "fundamento del pensar" (aquí es allá; hoy es ayer o mañana; el movimiento es inmovilidad; etcétera) corresponde a un trastorno no menos profundo de las leyes morales: los pecadores se salvan; los ignorantes son los verdaderos sabios; la inocencia no está siempre entre las vírgenes sino en los burdeles; "el buen ladrón" es el compañero de Cristo; el idiota del pueblo confunde al teólogo arrogante; el salteador Che es más puro que el virtuoso Confucio; Krisna empuja a Arjuna a la matanza... El teatro español, nutrido por las doctrinas católicas del libre albedrío y la gracia, ofrece constantes ejemplos de esta sorprendente dialéctica en la que el mal se cambia en bien, la perdición en salvación y la caída en ascenso. ¿Cómo se explican estas paradojas?

La experiencia mística culmina en la visión del ser o en la de la vacuidad, pero siempre, plenitud o vacío, se inicia como una crítica de este mundo y una negación de sus valores. La *otra* realidad exige la abolición de *esta* realidad. La visión se sustenta no sólo en una crítica intelectual sino en una *práctica* en la que participa el ser entero: toda mística implica una ascética. Cualquiera que sea su religión, el asceta cree que hay una relación entre la realidad corporal y la psíquica. El cristiano humilla a su cuerpo, el yoguín lo domina y así los dos afirman implícitamente la comunicación entre éste y el espíritu. No es extraño: las prácticas ascéticas tienen una antigüedad milenaria y son anteriores a la aparición de la idea del alma como una entidad separada del cuerpo. Como tantas otras técnicas que hemos heredado de la prehistoria, el ascetismo se anticipa a la ciencia contemporánea.

La analogía con las drogas es impresionante: la acción de estas últimas sería imposible si no existiese efectivamente una relación íntima entre las funciones fisiológicas y las psíquicas. Es indudable que las prácticas ascéticas y el uso de sustancias alucinógenas formaron parte de un mismo proceso, según puede verse en los himnos del Rig Veda consagrados al *soma* y en los ritos de los antiguos mexicanos, hoy todavía vivos entre los huicholes y los tarahumaras. La información antropológica sobre esta materia es muy rica. Es verdad que el vicioso, a diferencia del asceta, no se somete a ninguna disciplina. La distinción, aunque decisiva, no es aplicable a aquellos que exploran el universo de la droga con ánimo de saber o contemplar ni tampoco a los que la emplean en un ritual: hombres de ciencia, poetas, creyentes y miembros de grupos religiosos. El parecido entre drogas y ascetismo se extiende, por lo demás, a la esfera de la moral y a la del pensamiento. El asceta desprecia las convenciones mundanas, es insensible a las ideas de progreso y provecho, juzga que las ganancias materiales son pérdidas, ve en la normalidad del hombre común y corriente una verdadera anomalía espiritual y, en fin, condena por igual a los deberes y a los placeres de este mundo. Asimismo, aquel que ingiere una droga postula una duda sobre la consistencia de la realidad —no está seguro de que sea tal como la ven nuestros ojos y definen nuestros instrumentos o sospecha la existencia de otra realidad. Droga y ascetismo coinciden en ser crítica y negación del mundo.

Desde esta perspectiva quizá nos será más fácil pronunciarnos sobre la "injusticia" de la droga. Las visiones infernales que relata Michaux ¿no son el equivalente de las pruebas y tentaciones que han sufrido todos los ascetas de todas las religiones? Si la droga provoca la aparición de imágenes horribles ¿no será porque es un espejo que refleja no lo que aparentamos ser ante los otros y ante nosotros mismos sino lo que somos realmente? El efecto más inmediato de la droga es aligerarnos del peso de la realidad. Por tanto, es imposible juzgar su acción con las pesas y las medidas del mundo cotidiano. Pero la droga no nos enfrenta a otro mundo: las visiones de Michaux no contradicen a sus poemas —los confirman. Sólo que el "yo mismo" que nos presenta la droga —como el de la poesía y el del erotismo— es un desconocido y su aparición es semejante al de la resurrección de alguien que habíamos enterrado hace mucho. El enterrado está vivo y su regreso nos aterra. La droga nos introduce en un afuera que es un adentro: habitamos un yo que no tiene identidad ni nombre, vivimos en un allá que es un acá, dentro de algo que somos y no somos. Nuestros actos tienen otra consistencia, otra lógica y otra gravedad. Los "méritos" y las "faltas" son otros y otra la balanza que los pesa. Cambio de signo: el más se vuelve menos, el frío es calor, la exaltación es beatitud, calma y movimiento son lo mismo. Los valores morales no escapan a esta metamorfosis. Las nociones de virtud, bondad, rectitud y otras semejantes adquieren un significado diverso y aun contrario al que tienen en el mundo de las duras relaciones entre los hombres. Las palabras mérito, premio, ventaja, honor, provecho, interés y otras análogas, heridas de muerte, se desangran y, literalmente, se volatilizan. Pérdida de la gravedad: las virtudes verdaderas son de poco peso y se llaman abandono, desapego, confianza, entrega, desnudez. Lo que cuenta no es el valer sino el valor para internarse en lo desconocido. Desvalimiento: desasimiento. Ligereza: desinterés, desprendimiento. Fuera del "deber ser", el hombre contempla a su ser. En esta constelación la palabra central es, quizá, inocencia: la "pureza del corazón" de los cristianos primitivos, el "pedazo de madera sin pulir" de los taoístas. Desaparición del yo y del nombre, no pérdida del ser. Aparición de otra realidad, reaparición del ser. Lección de moral: la experiencia nos enfrenta al misterio que es cada hombre y revela la vanidad de nuestros juicios. El mundo de los jueces es el de la iniquidad. Sí, el asesino puede tener sueños de ángel. Cada uno tiene el infinito que se merece. Pero ese mérito no se mide con nuestras medidas.

PARAÍSOS

En los ensayos que ha dedicado a la mezcalina, Aldous Huxley subraya que las visiones individuales corresponden casi siempre a ciertos arquetipos colectivos. El mundo que describe Wasson en *Les champignons hallucinogènes du Mexique* recuerda inmediatamente las imágenes de mitos, poemas y pinturas: grandes paisajes fluviales, árboles, espesura verde y rojiza, tierra color de ámbar, todo bajo una luz ultraterrena. La sensación de movimiento —los largos ríos, el viento, el latido del sol— se funde a la de inmovilidad y reposo. A veces, al borde del agua centelleante, surge una mujer pensativa, aparición que le recuerda la escultura griega arcaica y ciertas estelas funerarias. Edad auroral, mundo de significaciones paradisiacas: ¿cómo no pensar en las imágenes del Génesis, en los cuentos árabes, en los mitos del Pacífico o del Asia Central, en el paraíso teotihuacano de Tláloc? Pero hay otra visión: desiertos, rocas, sed y jadeo, ojo-puñal del sol: el paisaje de la condenación, la "tierra gastada" de la leyenda del Graal. Infiernos transparentes, geometría de cristales impíos; infiernos circulares; infiernos abigarrados, pululación de formas y de monstruos, tentaciones de San Antonio, delirios de los *tankas* tibetanos, aquelarres de Goya, copulaciones y coagulaciones hindúes, el grito congelado de Munch, las máscaras polinesias... Aunque las imágenes son innumerables, todas ellas —luz cegadora o tiniebla mineral, soledad o promiscuidad— revelan un universo sin salida. Peso, opresión, asfixia: infiernos. No podemos salir de nosotros mismos, no podemos dejar de ser lo que somos, no podemos cambiar. Infierno: *petrificación*. La imagen celeste es visión de libertad: levitación, *disolución del yo*. La luz frente a la piedra.

Las imágenes del paraíso, dice Huxley, pueden reducirse a ciertos elementos, comunes a la experiencia "mezcaliniana" y al mito universal: tierra y agua, feracidad, verdor. Idea de abundancia (por oposición al mundo del trabajo); idea de jardín encantado: "todo es sensible" y pájaros, plantas y bestias hablan el mismo lenguaje. En el centro: la pareja original. Huxley señala que la luz tiene una tonalidad particular; es una luz que no viene de ninguna parte o, para usar una vieja y exacta expresión, una luz *increada*. Asimismo: una luz creadora (el paisaje nace y crece bajo la lluvia luminosa) y conservadora (el jardín, lo visible, reposa en su pecho invisible). Yo agregaría otra presencia no menos significativa: el agua, arquetipo del paraíso prenatal, imagen del regreso a la edad primera, símbolo de la mujer y de sus poderes. El agua: calma, fertilidad, autoconocimiento y, también, pérdida, caída en la pérfida transparencia. En más de un pasaje Baudelaire se detiene ante esta visión: "aguas fugitivas, juegos de agua, cascadas armoniosas, el mar inmenso y azul, meciéndose, cantando, adormeciendo... La contemplación de ese abismo límpido es peligrosa para un espíritu amoroso del espacio y el cristal..." Fragmento sorprendente si se piensa que el agua está asociada a la Gran Diosa de los mediterráneos: la hechicera pálida, la luna, Artemisa. El agua: el baño de Diana, la fuente fatal para Acteón y Sigfrido.

No sé si Huxley haya reflexionado sobre la singular dialéctica de las imágenes luz, agua y piedra. La luz es fija, inmaterial, central. Fuego y hielo a un tiempo, encarna la objetividad y la eternidad. Es la mirada. Clara y serena, dibuja los contornos, delimita, distribuye el espacio en porciones simétricas. Es la justicia pero asimismo es la Idea, el arquetipo inscrito en un cielo sin nubes. Nuestro olvidado Herrera llama luz a su amada, a su Idea.

Luz: amor a la esencia, reino de lo intemporal. E agua es difusa, huidiza, informe. Evoca al tiempo al amor físico; es la marea —muerte y resurrec ción—, la entrada en el mundo elemental. Todo se refleja en el agua, todo naufraga, todo renace Es el cambio, el fluir del universo. La luz separa el agua une. El paraíso, por lo visto, está regido por dos hermanas enemigas. En el centro, la piedra preciosa. Huxley recuerda que las puertas de los paraísos son de diamantes, rubíes, esmeraldas. Atravesado por la luz, el paisaje húmedo del primer día se transforma en una inmensa joya: sol de oro luna de plata, árboles de jade. La luz hace de agua una piedra preciosa. Mineraliza, eterniza el tiempo. Lo fija en un resplandor imparcial y así lo desvive: congela su latido. Al mismo tiempo —una imagen es un venero de significaciones— la luz trasmuta a la piedra. Gracias a la luz, la piedra opaca —cifra de la gravedad: caída y pesadumbre— accede a la transparencia y vivacidad del agua. La piedra centellea, parpadea, tiembla como una gota de agua o de sangre: está viva. Un minuto después, hipnotizada por el rayo celeste, se inmoviliza: ya es luz, tiempo detenido, mirada fija.

La piedra preciosa es un instante de equilibrio entre el agua y la luz. Dejada a su propia naturaleza es opacidad, inercia, existir bruto. Sueño sin sueños de la piedra. Apenas se vuelve luminosa y translúcida, cambia su índole moral. Su limpidez es engañosa como la del agua. El ópalo es una piedra nefasta; hay esmeraldas que dan la salud; hay joyas malditas. No es extraña esta ambigüedad. La vida original no es ni buena ni mala: es vitalidad, apetito de ser. Al nivel de la vida elemental encontramos la *misma unidad* que en la contemplación espiritual. Artemisa y su arco, Coatlicue y sus calaveras, diosas cubiertas de sangre, son la vida misma, el renacer y el remorir de las estaciones, el tiempo que se despliega y vuelve sobre sí. El paraíso del Aduanero Rousseau es una selva encantada, poblada de bestias feroces, en donde reina una hechicera. El único intruso es el hombre *armado*, que divide y separa: la moral que rompe el pacto mágico entre la naturaleza y sus criaturas. La piedra preciosa participa de esta indiferencia vital. Nudo de significaciones contrarias, oscila entre el agua y la luz.

LAS METAMORFOSIS DE LA PIEDRA

André Pieyre de Mandiargues es uno de los escritores en verdad originales —quiero decir: dueño a un tiempo de un lenguaje y de un mundo— que han aparecido en Francia después de la guerra. Su obra ilustra con sorprendente e involuntaria precisión lo que llamaríamos las metamorfosis de la piedra. Se trata de un verdadero "camino de perfección", erizado de pruebas y sacrificios, que la materia bruta recorre hasta volverse piedra preciosa, piedra solar. El universo de Mandiargues es un espacio mágico, hecho de oposiciones y correspondencias. Por eso no estoy seguro de que la palabra "cuentos" sea aplicable a sus escritos. Cierto, son relatos, pero su ritmo es el del poema, hecho de rimas, ecos, pausas. En ese mundo cerrado la palabra y su sombra, el hombre y su muerte, juegan una lenta partida que recuerda a las que mayas y aztecas celebraban en esos anfiteatros del antiguo México llamados "juegos de pelota". Aquel rito era la representación del combate entre el águila y el jaguar, la tierra y el cielo: no eran los hombres —aunque pagasen con su sangre— los que jugaban sino los dioses. En los relatos de Mandiargues tampoco juegan los hombres: el universo juega. Juega consigo mismo. Pero no busca la victoria —¿contra quién o para qué?— sino la iluminación. Las reglas de este juego son las mismas que rigen el movimiento de las imágenes entre sueño y vigilia; leyes incoherentes (en apariencia) y no por eso menos rigurosas.

La obra de Mandiargues es un teatro más hecho para ver que para oír, destinado a provocar en el espectador no tanto la adhesión como el asombro. Los paisajes, las arquitecturas, los objetos, todo, está dibujado con trazos netos y cortantes. Dibujo y escultura: los cuerpos, los vegetales, las criaturas y hasta las nubes poseen la consistencia del mármol y el jade. Mundo de luz y piedra no sólo por la abundancia de minerales sino porque todo lo que roza la mirada del poeta se inmoviliza en una suerte de hipnosis luminosa. Magia visual, reino de la mirada. Sólo que, a la inversa de Medusa, no convierte la vida en piedra opaca: la ilumina, la vuelve transparente. Operación peligrosa pues casi siempre la muerte nos espera al fin de este camino de transparencia. La muerte o la iluminación: el más allá de la mirada, el instante en que la piedra preciosa vuelve a ser sol.

En un libro de Mandiargues (*Feu de fraise*) hay tres cuentos que describen el carácter alternativamente nefasto y benéfico de la piedra. En el primero (*Les pierreuses*) un maestro de escuela recoge, al pasear por las afueras de la ciudad, un guijarro de los llamados por los geólogos "geodas". (Rocas o piedras huecas, "tapizadas de una sustancia generalmente cristalizada".) Impulsado por la curiosidad —Pandora y su caja funesta reaparece en muchos de los textos de este autor— el profesor abre en dos la piedra como si fuese la concha de una ostra y, no sin sorpresa, ve surgir tres minúsculas muchachas. La mayor le explica, en latín de la decadencia, que ella y sus dos hermanas nacieron desnudas de la matriz de la Gran Madre y que desnudas volverán a ella; precipitadas en la geoda por un "sol negro", su libertad anuncia su muerte y la de su libertador porque, agrega, "son mortales las emanaciones de la piedra". Es inútil detenerse en la significación de cada uno de los elementos de esta fantasía: la geoda y su matriz de amatista, el sol negro, la alusión a la Gran Diosa mediterránea. Todo se ajusta a la descripción de la piedra como cristalización del agua y sus poderes terribles.

En *Le diamant* la hija de un joyero israelita, al contemplar largamente un diamante perfecto —un "castillo de hielo"— se desvanece; cuando recobra el conocimiento descubre que se encuentra en el interior de la piedra. El frío la amenaza con una segura congelación; pero el sol matinal penetra por una ventana y se posa sobre el diamante, que se transforma en un horno rojo. Sara resiste el calor sin pena "como un pez en el agua". Un instante después se entrega a un hombre rojizo, de cabeza leonina. Bodas extrañas de la virgen judía y del espíritu solar, fecundación del agua por la luz. El sol se retira, vuelven los hielos, la joven se desmaya de nuevo y, al despertar, se da cuenta de que, "con el mismo misterio, con la misma naturalidad con que entró", ha salido de la piedra nupcial. Sara examina el diamante y advierte, única huella de su maravilloso encuentro, que una diminuta mancha rojiza altera su perfección. "Defecto" material que es, por otra parte, un estigma místico.

En *Le diamant* la metamorfosis se cumple en sentido inverso al de *Les pierreuses*. El "castillo de hielo" se abre como la geoda; en el interior de la piedra el profesor encuentra tres muchachas desnudas; en el del diamante Sara también está desnuda. El agua —la mujer desnuda— habita la piedra como una sustancia cambiante, que da muerte o vida. La geoda es una matriz mineral: tocada por la luz, se vuelve tumba; el diamante, sometido a una acción parecida, se transforma en un horno alquímico. El fuego y el agua simbolizan la trasmutación. (Hay una expresión náhuatl que tiene el mismo sentido: "agua quemante".) Las prodigiosas metamorfosis de Sara corresponden a las transformaciones del diamante, que de objeto mercantil pasa a ser prenda de unión mística. Todo esto, con ser mucho, no es todo. En *Les pierreuses* la curiosidad distraída no recibe más revelación que la de la muerte; en *Le diamant* la confianza en lo desconocido —el desprendimiento— conduce a la unión con el principio solar. El profesor es un hombre razonable e incrédulo que ni siquiera se maravilla ante la aparición de las diminutas y hermosas criaturas. (La única reflexión que se le ocurre es comprobar su ignorancia del latín de la baja época.) Sara "se confía al poder de lo absurdo", acepta el misterio con naturalidad y se deja guiar por lo inesperado. Nada menos arbitrario que la muerte del profesor o la maternidad maravillosa de Sara. Pero no se trata de una coherencia lógica sino espiritual.

L'enfantillage es la experiencia de lo que, para emplear el lenguaje de Mandiargues, podríamos llamar "la visión capital". Un hombre yace con una desconocida; mientras una parte de sí se adelanta hacia el momento de la descarga física, la otra retrocede hasta un recuerdo de infancia, el más remoto: el derrumbe de un carro de campesinos italianos en un despeñadero y la mano sarmentosa de su vieja aya tapándole los ojos. Esta imagen atroz se funde a la absorta contemplación de una perilla dorada de la cama, que el sol meridiano hace brillar en la penumbra caliente. La divagación se transforma en un delirio lúcido; el hombre avanza hacia el abismo llevado por la mano de la vieja (otra vez la Gran Diosa) hasta que la esfera dorada y el rostro de la anciana se confunden. Durante un instante en verdad glorioso la visión doble se transforma en una sola evidencia literalmente deslumbrante: "¿Es al fin el amor? Padre sol..." La materia ha recorrido el camino de la iniciación y ahora brilla como un astro desollado. La perilla de latón es un sol central. "Pureza reconquistada", dice Mandiargues al referirse a esta revelación. ¿Es la muerte o la vida? La piedra, alternativamente opacidad y transparencia, agua y luz, alcanza al fin la incandescencia, el estado de fusión y desaparición de los contrarios.

En el prólogo a un libro publicado poco después de la guerra,* Mandiargues dice que "la hora de la videncia es también la hora de la idiotez, los dos rostros absolutos de eso que a veces se llama

* *Le Musée Noir,* 1946.

misticismo..." Esta frase confirma que los poetas que con mayor abandono se confían al delirio son también los más lúcidos. El profesor de *Les pierreuses* se pierde porque su saber se reduce a una serie de "conocimientos"; Sara se salva porque no tiene "conocimientos" sino confianza en la vida. En ambos casos se trata de una visión dualista. La "visión capital" evoca ese instante en que el chorro de sangre de la víctima salta con maravillosa energía y frescura, como si afirmase simultáneamente la vida y la muerte. Pero *L'enfantillage* no es la visión del triunfo del elemento vital sobre el intelectual ni la de la coexistencia de los contrarios sino la de su aniquilación en una evidencia llameante. La hora, el instante, de la videncia: reconquista del no-saber.

EL BANQUETE Y EL ERMITAÑO

Mis comentarios acerca de las experiencias de Michaux y Huxley fueron escritos y publicados antes de que el uso de las drogas alucinógenas se convirtiese en un tema popular y en un debate público. Aquello que desde la antigüedad hasta apenas ayer era un rito o un misterio, ahora es una práctica más o menos extendida y un asunto de discusión en los periódicos, la radio y la televisión. El hablar de ciertas cosas sólo en ciertos momentos era, entre los antiguos, signo de sabiduría tanto o más que de cortesía: las palabras tenían peso, realidad. Al desvalorizar el silencio, la publicidad ha desvalorizado también el lenguaje. Uno y otro son inseparables: saber hablar fue siempre saber callar, saber que no siempre se debe hablar. En el caso de las drogas todo el mundo habla pero pocos escuchan a los que realmente tienen algo que decir: los hombres de ciencia y los poetas. Es cierto que el número de jóvenes que han ingerido L.S.D. y otras sustancias alcanza tales proporciones, especialmente en los Estados Unidos, que es fácil comprender la excitación del público y la alarma de las autoridades. No es menos cierto que las medidas legislativas y policiacas ni son una solución ni ayudan a entender el problema. Al contrario, lo exacerban y lo envenenan. No se necesita ser sociólogo o antropólogo para darse cuenta de que la afición a las drogas no es sino uno de los resultados de los cambios que ha experimentado la sociedad industrial desde la segunda guerra. Tampoco es extraño que el fenómeno sea más intenso y extenso allí donde los cambios han sido mayores: los Estados Unidos. Sería absurdo atribuir a las drogas poderes críticos y subversivos: los muchachos no creen en "the american way of life" porque ingieren drogas —las ingieren porque han dejado de creer en esas ideas y, a tientas, buscan otras. La actitud juvenil sólo es inteligible dentro del contexto general de la rebelión contra la sociedad de la abundancia y sus supuestos morales y políticos. Como me ocupo de esto en la tercera parte de este libro, prefiero no repetir aquí lo que el lector encontrará más adelante. En lo que sigue me limitaré a mostrar que el uso generalizado de drogas es otro anuncio más de un cambio en la sensibilidad contemporánea. Este cambio será tal vez más profundo que las transformaciones materiales y las luchas ideológicas de la primera mitad del siglo.

Comienzo por una observación más bien marginal: no está probado que las sustancias alucinógenas sean más nocivas que el alcohol. Aunque en ambos casos la reacción depende de la constitución individual, es sabido que el segundo estimula nuestras tendencias agresivas en tanto que las primeras fomentan la introversión. Sahagún cuenta que al final del festín de hongos sagrados los comensales se aislaban y permanecían largo tiempo en silencio; otros hablaban a solas o lloraban y reían para sí. Los viajeros y antropólogos que han convivido con los huicholes coinciden con Sahagún: el peyote no es un excitante; puede inclinar excepcionalmente al suicidio, nunca al asesinato. El alcohol nos empuja hacia afuera, los alucinógenos nos retraen. Muchos psiquiatras piensan como Huxley: esas sustancias no son más sino menos peligrosas que el alcohol. No es necesario aceptar totalmente esta opinión, aunque a mí me parece que no está muy alejada de la verdad, para reconocer que las autoridades las prohiben no tanto en nombre de la salud pública como de la moral social. Son un desafío a las ideas de actividad, utilidad, progreso, trabajo y demás nociones que justifican nuestro diario ir y venir. El alcoholismo es una infracción a las reglas sociales; todos la toleran porque es una violación que las confirma. Su caso es análogo al de la prostitución: ni el borracho ni la prostituta y su cliente ponen en duda las reglas que quebrantan. Sus actos son un disturbio, una alteración del orden, no una crítica. En cambio, el recurso a los alucinógenos implica una negación de los valores sociales y es una tentativa, quimérica sin duda, por escapar de este mundo y colocarse al margen de la sociedad. Puede entenderse ahora la verdadera razón de la condenación y de su severidad: la autoridad no obra como si reprimiese una práctica reprobable o un delito sino una disidencia. Puesto que es una disidencia que se propaga, la prohibición asume la forma de un combate contra un contagio del espíritu, contra una *opinión.* La autoridad manifiesta un celo ideológico: persigue una herejía, no un crimen. Se repite así la actitud de otros siglos ante la lepra y la demencia, que no eran vistas como enfermedades sino como encarnaciones del mal. No falta inclusive el temor supersticioso y ambivalente: como el leproso en la Edad Media, el alucinado es víctima de un mal sagrado; como las del loco, sus palabras son revelaciones de otro mundo. Los persecutores de la droga no son menos crédulos que sus adoradores. Sería inútil recordarles a unos y a otros que todas las experiencias y estudios sobre este tema coinciden, por lo menos, en un punto: ninguna sustancia conocida puede dar el genio a quien no lo tiene.

Entre los alucinógenos y el alcohol la relación es de oposición. El borracho es locuaz y expansivo; el alucinado, silencioso y retraído. La borrachera comienza en la animación, se desliza hacia la confidencia y el abrazo, avanza hacia las risotadas y las canciones, culmina en gritos y sollozos o estalla en violencia agresiva. En todos y cada uno de los momentos de la embriaguez persiste una nota: el deseo de decir y hacer con los otros, frente a ellos o contra ellos. El borracho solitario siempre ha sido visto como una contradicción, algo peor que un inválido o un onanista. Le falta algo: el otro, los otros. En México la conversación se vuelve más sabrosa si el alcohol la acompaña y hay una frase que define nuestra actitud ante la bebida: "platicar la copa". Los excesos alcohólicos en los países protestantes son una manera de saltar el muro del aislamiento. La sociedad protestante es una comunidad de ensimismados en la que cada uno musita para sí un monólogo secreto: la moral de la responsabilidad personal es una mordaza invisible. El alcohol libera las lenguas, los sentidos y las conciencias. En otros lugares la borrachera es orgiástica. Entre rusos y polacos adopta la forma de la explosión, la confesión pública y el abrazo universal: todos somos uno, cada uno es el todo.

En dos períodos de la historia moderna el alcoholismo constituyó un problema social: en Europa durante la primera revolución industrial y, en los Estados Unidos, en los años que siguieron a la primera guerra mundial. Dickens y Zola nos han dejado descripciones terribles de lo que fue la vida de la clase obrera en las grandes ciudades; el tránsito de la vida rural a la urbana produjo, entre otras consecuencias atroces, una ruptura de los lazos tradicionales y, por tanto, de la comunicación. Las novelas de Zola muestran que el alcoholismo fue la respuesta. En los Estados Unidos el fenómeno tuvo quizá causas distintas pero su significación no es diferente: fue una reacción frente al desarraigo y las tensiones y conflictos que engendraba la coexistencia de poblaciones extrañas, pertenecientes a distintas razas y con tradiciones y lenguas diferentes. En uno y en otro caso, poblaciones rurales errantes en los suburbios industriales o inmigrantes arrojados a un continente en ebullición, el alcoholismo fue una tentativa por remplazar los antiguos vínculos sociales, rotos o desaparecidos, por una forma exasperada de la comunicación. Sería exagerado decir que el alcoholismo es búsqueda de un lenguaje común; no lo es afirmar que es una compensación por la palabra perdida. El uso de drogas, por el contrario, no implica una supervaloración del lenguaje sino del silencio. La borrachera exagera la comunicación; las drogas la anulan. Así, la afición de los jóvenes por las drogas revela un cambio en la actitud contemporánea ante el lenguaje y la comunicación.

El primero que advirtió la oposición entre las drogas y el vino fue Baudelaire: "el vino exalta la voluntad; el hachís la aniquila. El vino es un estimulante físico; el hachís un arma del suicida. El vino nos vuelve benévolos y sociables; el hachís nos aísla". Descripción pérfida que le sirve al poeta para defenderse de los ataques de los necios. Pérfida pero no exenta de verdad: el vino es social, la droga es solitaria; el primero enciende los sentidos, la segunda excita la fantasía. Es lástima que Baudelaire no se haya aventurado a deducir las consecuencias de su distinción. Habría agregado, en primer término, que no son los méritos o deméritos del alcohol y las drogas lo que es realmente significativo sino su relación frente a la comunicación. La bebida la estimula y, en un segundo momento, la disuelve en balbuceo y turbia confusión. El borracho bebe por *desahogarse* y termina por *ahogarse*. La embriaguez es contradictoria: supervaloriza la comunicación y la destruye. Es comunicación malograda: empieza por ser una exageración y acaba en una degradación. Caricatura de la comunicación, es una parodia de dos formas de intercambio que nuestra civilización, desde su origen, ha venerado por encima de todas las otras: la comunión religiosa y el diálogo filosófico. No es un accidente que el alcohol haya sustituido al vino de uva en el mundo moderno; ese cambio corresponde al paulatino descrédito de la conversación, el banquete y el rito religioso. Si el alcoholismo es comunicación frustrada, la verdadera oposición se sitúa en otro nivel: vino y droga, conversación y ensimismamiento, comunión y contemplación.

El vino ocupó siempre un lugar central en los ritos, fiestas y ceremonias de la antigüedad pagana y del Occidente cristiano. Sin vino no hay comida que valga la pena. Al decir que la bebida "corrió a raudales" o que "la cena fue regada con ricos mostos", aludimos a una cualidad mágica del licor: homólogo del agua, del semen y del fluido espiritual, es fertilidad, resurrección y animación de la materia. Circulación de la esencia vital, su acción entre los hombres es semejante a la del riego en la agricultura. Además, es el trasmisor de la simpatía: exalta, comunica, reúne. Es la fraternidad. La comunicación es asimismo comunión: apenas es necesario recordar que en el rito cristiano el vino es la divinidad encarnada. La eucaristía es un misterio presente en todos nuestros rituales, sean religiosos o eróticos. Las dos imágenes más hermosas y henchidas de sentido que nos ha dejado la tradición son el Banquete platónico y la Cena de Cristo. En ambas el vino es un símbolo cardinal por el que nuestra civilización define su vocación dual; es el arquetipo de la comunicación —con los otros y con lo Otro.

La antigüedad y el cristianismo conocieron el aislamiento y la reclusión pero el lugar del ermitaño no es central en nuestra mitología. El filósofo, el sabio y el redentor viven entre los hombres, parten y reparten el pan de la verdad. El saber y la iluminación se comparten como el lenguaje. Para nosotros el anacoreta es una figura venerable, no un modelo ni un ejemplo. La actitud oriental es diametralmente opuesta. Desde el principio la India ha exaltado como figura suprema al ermitaño. Para los occidentales el bien supremo es sinónimo de comunión; para los orientales, la palabra llave es liberación. La vida superior implica una doble liberación: primero de los vínculos sociales, sean los de la casta, la familia o la ciudad; en seguida hay que romper la cadena de la trasmigración. Es lo contrario de lo que significa la palabra religión; no unir ni ligar sino soltarse, desprenderse, escapar. Del mismo modo, trátese del brahamanismo o del budismo, la imagen del sabio y del santo que nos ofrecen la iconografía, el arte y la poesía es la figura del solitario en su cueva o bajo un árbol. Nada más alejado de la mesa del banquete o de la comunión general de los cristianos. La India acentúa los extremos: la casta exagera el vínculo social; el ascetismo exalta el aislamiento. El hindú oscila siempre entre estos dos polos. No hay un punto de unión o convergencia, no hay banquete ni comunión. El Buda se llama a sí mismo: el recluso Gautama. Es verdad que buena parte del canon en pali y en sánscrito son diálogos del Iluminado con sus discípulos; hay que añadir que esas conversaciones no tienen por objeto la comunión sino que son una prédica que exalta la meditación solitaria. El filósofo platónico aspira a la contemplación de las ideas; el budista a la disolución de la idea en la vacuidad (*sunyata*). El gran misterio cristiano es el de la encarnación divina; el fin de todas las religiones y doctrinas de la India es la liberación, la desencarnación (*moshka, nirvana*). Por último, en los himnos del Rig Veda y el Atarva Veda se menciona con frecuencia una sustancia misteriosa, el *soma,* que muchos orientalistas modernos no vacilan en identificar como una forma del hachís. Es probable que el *soma* no sea distinto al *bhang,* esa droga de uso común en la India moderna, sobre todo entre los *sadhúes* y *sanyasines.* Según los himnos védicos el *soma* otorga la visión y el conocimiento: es el alimento de los videntes y los poetas, los *rishi* creadores de la palabra. Vino, diálogo, comunión, encarnación; droga, introspección, liberación, desencarnación. Palabra y silencio. La oposición entre vino y droga adquiere ahora una significación más rica.

No es arriesgado inferir de todo esto que la afición por las sustancias alucinógenas es un síntoma de un cambio de orientación de la sensibilidad moderna. ¿Cambio de dirección o ausencia de dirección? Ambas cosas. Los significados tradicionales han perdido significación. Son signos huecos. En un mundo dominado por los medios de comunicación nadie tiene nada que decir ni nada que oír. Si las palabras han perdido sentido, ¿cómo no buscarlo en el silencio? El interés popular por el budismo y otras religiones y doctrinas orientales delata la misma carencia y el mismo apetito. Sería un error creer que buscamos en el budismo una palabra ajena a nuestra tradición: buscamos una confirmación. Por sí solo y por sus propios medios intelectuales y técnicos, el Occidente está a punto de descubrir evidencias semejantes a las que el Oriente descubrió hace dos mil quinientos años. La nueva actitud no es un resultado del conocimiento de las doctrinas orientales sino de nuestra historia. Ninguna verdad se aprende: cada uno debe pensarla y experimentarla por sí mismo. No sería difícil mostrar en la obra de tres pensadores contemporáneos —Wittgenstein, Heidegger y Lévi-Strauss— una sorprendente e involuntaria afinidad con el budismo. Su pensamiento no le debe nada al de Oriente y cada uno de ellos representa tendencias distintas y, en apariencia, irreconciliables entre sí. No obstante, en los tres la preocupación por el lenguaje es central y los lleva a una conclusión análoga: toda palabra se resuelve en silencio. Podría mencionar otros ejemplos en la esfera de la literatura y el arte pero son de tal modo abundantes y conocidos que prefiero no hacerlo. Me limitaré a repetir que si algún poeta del pasado reciente es nuestro precursor, nuestro maestro y nuestro contemporáneo, ese poeta es Mallarmé. Pues bien, toda su poesía está animada por una ambición tal vez irrealizable y que recuerda las paradojas de los sutras *Prajnaparamita*: encarnar la ausencia, dar nombre a la vacuidad, decir el silencio. El arte moderno es destrucción del significado —o sea: de la comunicación— pero es asimismo búsqueda de la significación. Quizá esta exploración terminará por descubrir que el no-significado es idéntico al significado... Dentro del contexto de este cambio general puede apreciarse mejor el sentido que tiene el uso cada vez más extendido de sustancias alucinógenas. Como el alcoholismo, es una revuelta; como el alcoholismo, es una revuelta que se destruye a sí misma: las drogas pueden darnos visiones felices o infernales pero no pueden darnos ni el silencio ni la sabiduría. Por otra parte, a diferencia del alcoholismo, la droga no es una exageración de un valor tradicional (la comunicación) sino de algo ajeno a nuestra tradición. El alcoholismo es una caricatura del banquete y de la comunión; las drogas son su negación.

El uso de las drogas ha sido siempre parte de un ritual. No podía ser de otro modo: desde la antigüedad han sido el complemento, ya sea de las prácticas ascéticas o de las ceremonias de iniciación y otros ritos. Los huicholes emprenden cada año una penosa expedición en busca del peyote y durante todo ese tiempo no se bañan, se abstienen de todo contacto sexual y se someten a privaciones sin cuento. Cuando encuentran el cactus no lo consumen inmediatamente sino que aguardan hasta la celebración de una ceremonia que comprende, entre otros ritos, una confesión pública. Una vez purificados, comen el peyote. Según los huicholes, las visiones horribles son una suerte de castigo y las sufren aquellos que han mentido en la confesión o que han incurrido en otros engaños y falsedades. Todo el rito y sus rigores giran en torno a las ideas de confianza, desprendimiento, limpieza de corazón, generosidad. Las creencias de los huicholes confirman así lo que he apuntado más arriba sobre la "moral" de las drogas alucinógenas y su sorprendente justicia. No vale la pena enumerar otros ejemplos: en todas las épocas y en todos los pueblos el uso de las drogas está asociado a un ritual y a una forma del ascetismo.* Lo mismo sucede con las prácticas sexuales y alimenticias en la tradición del tantrismo. No resulta extraño, por tanto, que en los Estados Unidos muchos grupos semirreligiosos y semiartísticos se esfuercen por insertar el uso de las drogas dentro de un rito. Es la única manera de utilizar sus indudables poderes de alucinación y de autoconocimiento. Pero estas tentativas están destinadas al fracaso. Los ritos no se inventan: crecen poco a poco con los mitos, las creencias y las religiones. La sociedad moderna ha vaciado de todo su contenido a los ritos tradicionales y no ha logrado crear otros. La primera mitad del siglo conoció un sucedáneo de los ritos tradicionales: las reuniones políticas. Hoy se han convertido en ceremonias oficiales y sólo preservan su vitalidad en China y otros países subdesarrollados. La razón es clara: el rito está fundado en la idea del tiempo como repetición; es una fecha que regresa y encarna en un presente que es también un pasado y un futuro. Los ritos son expresiones del tiempo cíclico.

El tiempo moderno, histórico, es lineal y fatalmente desaloja al rito de la sucesión temporal: el pasado es irreversible y no volverá. Aparece ahora con mayor claridad el sentido último del uso de las drogas en nuestros días: es una crítica del tiempo lineal y una nostalgia (o un presentimiento) de otro tiempo. La reflexión sobre las drogas desemboca en un tema del que me ocupo en la tercera parte de este libro: el fin del tiempo lineal.

* El bramín que practica el sacrificio del *soma* "debe abstenerse de todo contacto con los hombres de castas impuras y con las mujeres, no ha de responder a quien lo interroga y nadie debe tocarlo". Louis Renou: *L'Inde classique*.

EL CINE FILOSÓFICO DE BUÑUEL

Hace algunos años escribí unas páginas sobre Luis Buñuel. Las reproduzco: "Aunque todas las artes, sin excluir a las más abstractas, tienen por fin último y general la expresión y recreación del hombre y sus conflictos, cada una de ellas posee medios e instrumentos particulares de encantamiento y así constituye un dominio propio. Una cosa es la música, otra la poesía, otra más el cine. Pero a veces un artista logra traspasar los límites de su arte; nos enfrentamos entonces a una obra que encuentra sus equivalentes más allá de su mundo. Algunas de las películas de Luis Buñuel —*La edad de oro, Los olvidados*— sin dejar de ser cine nos acercan a otras comarcas del espíritu: ciertos grabados de Goya, algún poema de Quevedo o Peret, un pasaje de Sade, un esperpento de Valle-Inclán, una página de Gómez de la Serna... Estas películas pueden ser gustadas y juzgadas como cine y asimismo como algo perteneciente al universo más ancho y libre de esas obras, preciosas entre todas, que tienen por objeto tanto revelarnos la realidad humana como mostrarnos una vía para sobrepasarla. A pesar de los obstáculos que opone a semejantes empresas el mundo actual, la tentativa de Buñuel se despliega bajo el doble arco de la belleza y de la rebeldía.

"En *Nazarín,* con un estilo que huye de toda complacencia y que rechaza todo lirismo sospechoso, Buñuel nos cuenta la historia de un cura quijotesco, al que su concepción del cristianismo no tarda en oponerlo a la Iglesia, la sociedad y la policía. Nazarín pertenece, como muchos de los personajes de Pérez Galdós, a la gran tradición de los locos españoles. Su locura consiste en tomar en serio al cristianismo y en tratar de vivir conforme a sus Evangelios. Es un loco que se niega a admitir que la realidad sea lo que llamamos realidad y no una atroz caricatura de la verdadera realidad. Como

Don Quijote, que veía a Dulcinea en una labriega, Nazarín adivina en los rasgos monstruosos de la prostituta Andra y del jorobado Ujo la imagen desvalida de los hombres caídos; y en el delirio erótico de una histérica, Beatriz, percibe el rostro desfigurado del amor divino. En el curso de la película —en la que abundan, ahora con furor más concentrado y por eso mismo más explosivo, escenas del mejor y más terrible Buñuel— asistimos a la *curación* del loco, es decir, a su tortura. Todos lo rechazan: los poderosos y satisfechos porque lo consideran un ser incómodo y, al final, peligroso; las víctimas y los perseguidos porque necesitan otro y más efectivo género de consuelo. El equívoco, y no sólo los poderes constituidos, lo persigue. Si pide limosna, es un ser improductivo; si busca trabajo, rompe la solidaridad de los asalariados. Aun los sentimientos de las mujeres que lo siguen, reencarnaciones de María Magdalena, resultan al fin ambiguos. En la cárcel, a la que lo han llevado sus buenas obras, recibe la revelación última: tanto su 'bondad' como la maldad' de uno de sus compañeros de pena, asesino y ladrón de iglesias, son igualmente inútiles en un mundo que venera como valor supremo a la eficacia.

"Fiel a la tradición del loco español, de Cervantes a Galdós, la película de Buñuel nos cuenta la historia de una desilusión. Para Don Quijote la ilusión era el espíritu caballeresco; para Nazarín, el cristianismo. Pero hay algo más. A medida que la imagen de Cristo palidece en la conciencia de Nazarín, comienza a surgir otra: la del hombre. Buñuel nos hace asistir, a través de una serie de episodios ejemplares, en el buen sentido de la palabra; a un doble proceso: el desvanecimiento de la ilusión de la divinidad y el descubrimiento de la realidad del hombre. Lo sobrenatural cede el sitio a lo maravilloso: la naturaleza humana y sus poderes. Esta revelación encarna en dos momentos inolvidables: cuando Nazarín ofrece los *consuelos del más allá* a la moribunda enamorada y ésta responde, asida a la imagen de su amante, con una frase realmente estremecedora: *cielo no, Juan sí*; y al final, cuando Nazarín rechaza la limosna de una pobre mujer para, tras un momento de duda, aceptarla —no ya como dádiva sino como un signo de fraternidad. El solitario Nazarín ha dejado de estar solo: ha perdido a Dios pero ha encontrado a los hombres."

Este pequeño texto apareció en un folleto de presentación de *Nazarín* en el Festival Cinematográfico de Cannes. Se temía, no sin razón, que surgiese algún equívoco sobre el sentido de la película, que no sólo es una crítica de la realidad social sino de la religión cristiana. El riesgo de confusión, común a todas las obras de arte, era mayor en este caso por el carácter de la novela que inspiró a Buñuel. El tema de Pérez Galdós es la vieja oposición entre el cristianismo evangélico y sus deformaciones eclesiásticas e históricas. El héroe del libro es un cura rebelde e iluminado, un verdadero protestante: abandona la Iglesia pero se queda con Dios. La película de Buñuel se propone mostrar lo contrario: la desaparición de la figura de Cristo en la conciencia de un creyente sincero y puro. En la escena de la muchacha agonizante, que es una trasposición del *Diálogo entre un sacerdote y un moribundo* de Sade, la mujer afirma el valor precioso e irrecuperable del amor terrestre: si hay cielo, está aquí y ahora, en el instante del abrazo carnal, no en un más allá sin horas y sin cuerpos. En la escena de la prisión, el bandido sacrílego aparece como un hombre no menos absurdo que el cura iluminado. Los crímenes del primero son tan ilusorios como la santidad del segundo: si no hay Dios, tampoco hay sacrilegio ni salvación.

Nazarín no es la mejor película de Buñuel pero es típica de la dualidad que rige su obra. Por una parte, ferocidad y lirismo, mundo del sueño y la sangre que evoca inmediatamente a otros dos grandes españoles: Quevedo y Goya. Por la otra, la concentración de un estilo nada barroco que lo lleva a una suerte de sobriedad exasperada. La línea recta, no el arabesco surrealista. Rigor racional:

cada una de sus películas, desde *La edad de oro* hasta *Viridiana*, se despliega como una *demostración*. La imaginación más violenta y libre al servicio de un silogismo cortante como un cuchillo, irrefutable como una roca: la lógica de Buñuel es la razón implacable del Marqués de Sade. Este nombre esclarece la relación entre Buñuel y el surrealismo: sin ese movimiento habría sido de todos modos un poeta y un rebelde; gracias a él, afiló sus armas. El surrealismo, que le reveló el pensamiento de Sade, no fue para Buñuel una escuela de delirio sino de razón: su poesía, sin dejar de ser poesía, se volvió crítica. En el recinto cerrado de la crítica el delirio desplegó sus alas y se desgarró el pecho con las uñas. Surrealismo de plaza de toros pero también surrealismo crítico: la corrida como demostración filosófica.

En un texto capital de las letras modernas, *De la literatura considerada como una tauromaquia*, Michel Leiris señala que su fascinación ante el toreo depende de la fusión entre riesgo y estilo: el diestro —nunca fue más exacta la palabra— debe afrontar la embestida sin perder la compostura. Es verdad: las buenas maneras son imprescindibles para morir y matar, al menos si se cree, como yo creo, que estos dos actos biológicos son asimismo ritos, ceremonias. En el toreo el peligro alcanza la dignidad de la forma y ésta la veracidad de la muerte. El torero se encierra en una forma que se abre hacia el riesgo de morir. Es lo que en español llamamos *temple*: arrojo y afinación musical, dureza y flexibilidad. La corrida, como la fotografía, es una exposición y el estilo de Buñuel, por doble elección estética y filosófica, es el de la exposición. Exponer es exponerse, arriesgarse. También es poner fuera, mostrar y demostrar: revelar. Los relatos de Buñuel son una exposición: revelan las realidades humanas al someterlas, como si fuesen placas fotográficas, a la luz de la crítica. El toreo de Buñuel es un discurso filosófico y sus películas son el equivalente moderno de la novela filosófica de Sade. Pero Sade fue un filósofo original y un artista mediano: ignoraba que el arte, que ama el ritmo y la letanía, excluye la repetición y la reiteración. Buñuel es un artista y el reproche que podría hacerse a sus películas no es de orden poético sino filosófico.

El razonamiento que preside a toda la obra de Sade puede reducirse a esta idea: el hombre es sus instintos y el verdadero nombre de lo que llamamos Dios es miedo y deseo mutilado. Nuestra moral es una codificación de la agresión y de la humillación; la razón misma no es sino instinto que se sabe instinto y que tiene miedo de serlo. Sade no se propuso demostrar que Dios no existe: lo daba por sentado. Quiso mostrar cómo serían las relaciones humanas en una sociedad efectivamente atea. En esto consiste su originalidad y el carácter único de su tentativa. El arquetipo de una república de verdaderos hombres libres es la *Sociedad de Amigos del Crimen*; el del verdadero filósofo, el asceta libertino que ha logrado alcanzar la impasibilidad y que ignora por igual la risa y el llanto. La lógica de Sade es total y circular: destruye a Dios pero no respeta al hombre. Su sistema puede provocar muchas críticas excepto la de la incoherencia. Su negación es universal: si algo afirma es el derecho a destruir y a ser destruido. La crítica de Buñuel tiene un límite: el hombre. Todos nuestros crímenes son los crímenes de un fantasma: Dios. El tema de Buñuel no es la culpa del hombre sino la de Dios. Esta idea, presente en todas sus películas, es más explícita y directa en *La edad de oro* y en *Viridiana,* que son para mí, con *Los olvidados,* sus creaciones más plenas y perfectas. Si la obra de Buñuel es una crítica de la ilusión de Dios, vidrio deformante que no nos deja ver al hombre tal cual es, ¿cómo son *realmente* los hombres y qué sentido tendrán las palabras amor y fraternidad en una sociedad *de verdad* atea?

La respuesta de Sade, sin duda, no satisface a Buñuel. Tampoco creo que, a estas alturas, se contente con las descripciones que nos hacen las utopías filosóficas y políticas. Aparte de que esas profecías son inverificables, al menos por ahora, es evidente que no corresponden a lo que sabemos sobre el hombre, su historia y su naturaleza. Creer en una sociedad atea regida por la armonía natural —sueño que todos hemos tenido— equivaldría ahora a repetir la apuesta de Pascal, sólo que en sentido contrario. Más que una paradoja sería un acto de desesperación: conquistaría nuestra admiración, no nuestra adhesión. Ignoro cuál sería la respuesta que podría dar Buñuel a estas preguntas. El surrealismo, que negó tantas cosas, estaba movido por un gran viento de generosidad y fe. Entre sus ancestros se encuentran no sólo Sade y Lautréamont sino Fourier y Rousseau. Y tal vez sea este último, al menos para André Breton, el verdadero origen del movimiento: exaltación de la pasión, confianza sin límites en los poderes naturales del hombre. No sé si Buñuel está más cerca de Sade o de Rousseau; es más probable que ambos disputen en su interior. Cualesquiera que sean sus creencias sobre esto, lo cierto es que en sus películas no aparece ni la respuesta de Sade ni la de Rousseau. Reticencia, timidez o desdén, su silencio es turbador. Lo es no sólo por ser el de uno de los grandes artistas de nuestra época sino porque es el silencio de todo el arte de esta primera mitad de siglo. Después de Sade, que yo sepa, nadie se ha atrevido a describir una sociedad atea. Falta algo en la obra de nuestros contemporáneos: no Dios sino los hombres sin Dios.

ATEÍSMOS

Es casi imposible escribir sobre la *muerte de Dios*. No es un tema de disertación, aunque desde hace más de medio siglo abundan los trinos y las aleluyas. Esa vasta y no siempre legible literatura no agota el asunto pues todo lo que ahora se dice y se hace ostenta la marca de ese acontecimiento. El ateísmo, explícito o implícito, es universal. Pero hay que distinguir varias categorías de ateos: aquellos que creen creer en un Dios vivo y que en realidad piensan y viven como si nunca hubiera existido: son los verdaderos ateos y forman la mayoría de nuestros conciudadanos; los ateos por convicción filosófica, para los que Dios no ha muerto porque nunca existió y que, no obstante, creen en alguno de sus sucedáneos (razón, progreso, historia): son los seudoateos; y aquellos que aceptan su muerte y tratan de vivir desde esta perspectiva insólita. Son la minoría y pueden dividirse a su vez en dos grupos: los que no se resignan y, como *El frenético* de Nietzsche, entonan en los templos vacíos su *Requiem æternam deo*; y aquellos para quienes el ateísmo es un *acto de fe.* Ambos viven religiosamente, con ligereza y gravedad, la muerte de Dios. Con ligereza porque viven como si se les hubiese quitado un peso de encima; con gravedad porque al desaparecer el poder divino, sustento de la creación, el suelo se hunde bajo sus pies. Sin Dios el mundo se ha vuelto más ligero y el hombre más pesado.

La muerte de Dios es un capítulo de la historia de las religiones, como la muerte del gran Pan o la fuga de Quetzalcoatl. También es un momento de la conciencia moderna. Ese momento es religioso. Lo es de una manera singular y vivirlo exige un temple que ha de combinar, en dosis variables, el rigor del pensamiento y la pasión de la fe. Como todo momento, es transitorio; como todo momento religioso, es definitivo. Bañado por la luz divina, el momento religioso centellea y dice: para siempre. Es el tiempo humano colgado de la eternidad por un hilo, el hilo de la presencia sobrenatural; si ese hilo se rompe, el hombre cae. El momento que vive el ateo es definitivo en sentido contrario: su horizonte es la anulación de la presencia. Como en el momento religioso, en el del ateo también el tiempo humano se asume como fragilidad y contingencia ante una dimensión extratemporal: la ausencia de Dios es eterna como su presencia. El momento religioso positivo es el fin del tiempo profano y el principio del tiempo sagrado: ese fin es una resurrección. El momento religioso negativo es el fin de la eternidad y el comienzo del tiempo profano: ese comienzo es una caída. No hay resurrección porque el comienzo es un fin: el ateo cae en el sinfín del tiempo sucesivo en el que cada minuto repite a otro. La condenación no es el tormento sino la repetición. El momento religioso positivo es una conversión; el negativo es una reversión. Para el creyente ese momento es una apelación y una respuesta; para el ateo, un silencio sin apelación.

El silencio en que culmina la muerte de Dios provoca en el ateo la incredulidad. Disparado de sí, vertido hacia el exterior, grita: "¡Yo busco a Dios, busco a Dios!". Grito insensato pues sabe que "lo matamos entre todos: tú y yo. Todos nosotros somos sus asesinos". *El frenético* sabe que Dios ha muerto pues él lo mató. Tal vez por esto no se resigna y literalmente no puede creer en lo que dice. De ahí que grite y cante, se torture y se regocije. Anda fuera de sí. La muerte de Dios lo ha expulsado de su ser y lo ha hecho renegar de su esencia humana. *El frenético* quiere ser dios porque anda en busca de Dios. La otra clase de ateo se encara al acontecimiento con ánimo igualmente religioso y no menos contradictorio: sabe que la muerte de Dios no es un hecho sino una creencia. Y cree. Pero ¿en qué apoyar su creencia, cómo se manifiesta su fe, en qué forma encarna? Es una creencia vacía, una fe sin Dios. En ambos casos se trata de algo que difícilmente puede satisfacer la exigencia del entendimiento. La incredulidad de *El frenético* es un desvarío y no resiste a la prueba mayor: si Dios estuviese vivo, ese minuto de su muerte sería también el de su resurrección. La credulidad del otro tampoco prevalece contra la razón: si es una creencia, ¿quién y qué la prueba? No hay nadie para atestiguarla o verificarla. Es una verdad anónima puesto que nadie la encarna o asume, excepto el ateo. Y él la encarna como negación. El ateo vive una extraña certidumbre: no cree —salvo si cree en nada.

Nietzsche vio con clarividencia las dificultades del ateísmo. Esas dificultades le parecieron insuperables, al menos mientras el hombre siga siendo hombre. Por eso su "nihilismo" para "acabarse" o perfeccionarse, exige el advenimiento del superhombre. Sólo el superhombre puede ser ateo porque sólo él sabe jugar. *El frenético* del conocido pasaje de *La gaya ciencia,* después de haber anunciado el asesinato de Dios en plazas y mercados, dice que se trata de un acto que es *excesivo* para la medida humana: "Jamás se cometió acción más grandiosa y aquellos que nazcan después de nosotros pertenecerán, a causa de esto, a una historia más ilustre que toda otra historia..." Si la grandeza de ese crimen es excesiva para nosotros, ¿surgió ya otra estirpe de hombres capaces de soportar la terrible carga? Y si no ha nacido, ¿hay signos de su futura aparición? Nietzsche anunciaba en 1882 que Dios había muerto; no es presuntuoso decir hoy que el superhombre no ha nacido... *El frenético* sabe que, muerto Dios, el hombre debe vivir como un dios. Saberlo lo pone fuera de sí: el hombre debe ir más allá de su ser, salir de su naturaleza y reclamar la carga, el riesgo y el goce de la divinidad. La muerte de Dios lo lleva a cambiar de ser, a jugar su vida contra la vida divina. De ahora en adelante el hombre debe contemplar la vida entera, la propia y la del cosmos, a la divina: como un juego. Toda creación es juego, representación. Nietzsche lo dice una y otra vez: en nuestro tiempo lo que cuenta es el arte y no la verdad. El hombre trabaja y conoce; los dioses juegan: crean. Los mundos reposaban en la mano de Dios; ahora es el hombre el que debe sostenerlos. No pesan más que ayer ni es su peso el que precipita al hombre en el despeñadero del tiempo sin fin. Nuestro abismo no es el infinito cósmico sino la muerte. El hombre está marcado por la contigencia —y lo sabe. Por eso no puede jugar como un dios. La gravedad, su pesadumbre original, lo ata al suelo. No danza en la altura; danza sobre un agujero. La danza del hombre es terror y nostalgia de la caída.

El tema de Nietzsche no es el de la muerte de Dios sino el de su asesinato. Aunque el nombre filosófico del asesino sea *voluntad de poder*, los verdaderos reos somos todos y cada uno de nosotros. Pero se puede ver la muerte de Dios como un hecho histórico, es decir, podemos pensar que murió de muerte natural, vejez o enfermedad. En este caso el diagnóstico no incumbe a la filosofía ni a la teología sino a la historia de las ideas y las creencias de Occidente. Es muy conocido. Tal vez en Egipto nació la idea de un Dios único. La divinidad solar de un gran imperio pasó por una serie de metamorfósis: dios tribal que desplaza a una deidad volcánica, señor de un pueblo escogido, redentor de la especie humana, creador y rey de este mundo y del otro. Aunque la antigüedad clásica había pensado el Ser y concibió la Idea y la Causa inmóvil, ignoró la noción de un Dios creador y único. Entre el Dios judeocristiano y el Ser de la Metafísica pagana hay una contradicción insuperable: los atributos del Ser no son aplicables a un Dios creador, salvador y personal. El Ser no es Dios. Y más: el Ser es incompatible con cualquier monoteísmo. El Ser es y no puede ser sino ateo o politeísta. Dios, nuestro Dios, fue víctima de la infección filosófica: el Logos fue el virus, el agente fatal. Así pues, la historia de la filosofía nos limpia de la culpa de la muerte de Dios: no fuimos nosotros los asesinos sino el tiempo y sus accidentes. Tal vez esta explicación no sea sino un subterfugio. Examinada de cerca, no resiste la crítica: Dios muere en el seno de la sociedad cristiana y muere precisamente porque esa sociedad no era esencialmente cristiana. Nuestra conversión del paganismo fue de tal modo incompleta que los cristianos nos servimos de la filosofía pagana para matar a nuestro Dios. La filosofía fue el arma pero el brazo que la empuñó fue nuestro brazo. No hay más remedio que regresar a la idea de Nietzsche: el ateísmo sólo puede vivirse desde la perspectiva de la muerte de Dios como un acto personal —aunque ese pensamiento sea insoportable e intolerable. En verdad, sólo los cristianos pueden matar a Dios.

Apenas si conozco el otro gran monoteísmo. Sospecho, sin embargo, que el Islam ha experimentado dificultades semejantes a las del cristianismo. Ante la imposibilidad de encontrar un fundamento racional o filosófico al Dios único, Abû Hámid Ghazali escribe su *Incoherencia de la filosofía*; un siglo después, Averroes contesta con su *Incoherencia de la incoherencia.** También para los musulmanes la lucha entre Dios y la filosofía fue una lucha a muerte. Allá ganó Dios y un Nietzsche musulmán podría haber escrito: "La filosofía ha muerto; la matamos entre todos, tú y yo..." La India y el Extremo Oriente han inventado una divinidad que no ha creado al mundo y que no lo destruirá —esas funciones son la responsabilidad de dioses especializados. Salvaron así a Dios de la doble imperfección de crear y de crear mundos y seres imperfectos. En realidad suprimieron a Dios: si no es creador, ¿para qué es Dios? (Y si es creador...). La divinidad hindú está abstraída en una autocontemplación infinita. No se interesa en el acontecer humano ni interviene en el curso del tiempo: sabe que todo es una quimera. Su inactividad no afecta a los creyentes: miriadas de dioses proveen a sus necesidades de cada día. No contentos con la existencia de muchos cielos e infiernos, cada uno poblado por innumerables dioses y demonios, los budistas concibieron a los Bodisatvas, seres que combinan la perfección impasible del Buda con la actividad compasiva de las divinidades: no son dioses sino entidades metafísicas dotadas de pasión salvadora. El Oriente puede dispensarse de la idea de un Dios creador porque antes hizo una crítica del tiempo. Si la verdadera realidad es un ser inmóvil

* Henri Corbin prefiere traducir *Autodestrucción de los filósofos* y *Autodestrucción de la autodestrucción*, respectivamente. (*Histoire de la philosophie islamique*, 1964.)

—o su contrario: la vacuidad igualmente inmóvil del budismo— el tiempo es irreal e ilusorio. Habría sido inútil inventar a un Dios creador de una ilusión.

Las dificultades del ateísmo occidental provienen del tiempo: la realidad del tiempo exige la realidad del Dios que lo creó. Por eso Dios está antes del tiempo: es su sustento y su origen. Nietzsche trató de resolver este rompecabezas por medio del eterno retorno: la muerte de Dios es un momento del tiempo circular, un fin que es un comienzo. Sólo que el tiempo cíclico encierra otra contradicción: al tiempo de la muerte de Dios sucederá el de su resurrección. Nerval lo dijo: "Ils reviendront, ces Dieux qui tu pleures toujours!" El eterno retorno convierte a Dios en una manifestación del tiempo pero no lo suprime. Para acabar con Dios hay que acabar con el tiempo: esa es la lección del budismo. Ahora bien, si nosotros nos arriesgásemos a formular una crítica del tiempo que no fuese menos radical que la del budismo, esa crítica tendría que ser esencialmente distinta. En tanto que el Buda se enfrentó a un tiempo cíclico, el nuestro es lineal, sucesivo e irrepetible. Para nosotros Dios no está en el tiempo sino antes... Tal vez el ateísmo es un problema de *posición*: no de nosotros frente a Dios sino de Dios frente al tiempo. Pensar a Dios *después* del tiempo. Pensar que el tiempo tendrá un fin —y una finalidad: no la creación de un superhombre sino de un verdadero Dios. Ese Dios podría ser pensado sin congoja y sin desgarramiento porque no sería el Creador sino la Criatura. No un hijo nuestro: el Hijo del tiempo y que nace al morir el tiempo. Concebir el tiempo no como sucesión y caída infinita sino como principio creador finito: un Dios se forma en las entrañas vacías del instante. Si el ateo imaginase un Dios que lo espera al fin del tiempo, ¿cesarían la contradicción, la rabia y el remordimiento? Dios no ha muerto y nadie lo mató: aún no nace. La idea no es menos terrible que la de Nietzsche pues culmina en una conclusión que el Occidente rechaza con horror desde el principio de su historia: el fin del tiempo. Nosotros, que matamos a Dios, ¿nos atreveremos a matar al tiempo?

NIHILISMO Y DIALÉCTICA

Dios no pudo convivir con la filosofía: ¿puede la filosofía vivir sin Dios? Desaparecido su adversario, la Metafísica deja de ser la ciencia de las ciencias y se vuelve lógica, psicología, antropología, historia, economía, lingüística. Hoy el reino de la filosofía es ese territorio, cada vez más exiguo, que aún no exploran las ciencias experimentales. Si se ha de creer a los nuevos lógicos es apenas el residuo no-científico del pensamiento, un error de lenguaje. Quizá la Metafísica de mañana, si el hombre venidero aún siente la necesidad del pensar metafísico, se iniciará como una crítica de la ciencia tal como en la antigüedad principió como crítica de los dioses. Esa Metafísica se haría las mismas preguntas que se ha hecho la filosofía clásica pero el lugar, el *desde*, de la interrogación no sería el tradicional *antes* de toda ciencia sino un *después* de las ciencias. Es difícil, sin embargo, que el hombre vuelva alguna vez a la Metafísica y aun a la religión. Después del desengaño de las ciencias y de las técnicas, buscará una Poética. No el secreto de la inmortalidad ni la llave de la eternidad: la fuente de la vivacidad, el chorro que funde vida y muerte en una sola imagen erguida.

La muerte de Dios implica la desaparición de la Metafísica, inclusive si no se acepta la interpretación que hace Heidegger de la frase de Nietzsche. En ese notable estudio —quizá el mejor que se haya escrito sobre el tema— Heidegger nos dice que la palabra Dios no designa únicamente al Dios cristiano sino al mundo suprasensible en general:

"Dios es el nombre que da Nietzsche a la esfera de las Ideas y los Ideales." Si fuese así, la muerte de Dios no sería sino un episodio de un drama más vasto: un capítulo, el último, de la historia de la Metafísica. No lo creo. *El frenético* no dice que Dios haya muerto de muerte natural o histórica; dice que lo hemos asesinado. Se trata de un acto personal y sólo si lo pensamos como un crimen, cometido entre todos y por cada uno de nosotros, podemos entrever la terrible grandeza de nuestra época. Pero aun si se piensa que Dios ha muerto de muerte natural o filosófica, su desaparición provoca inexorablemente la extinción de la Metafísica: el pensar pierde su objeto, su *obstáculo*. La filosofía de Occidente se alimentó de la carne de Dios; desaparecida la deidad, el pensamiento perece. Sin alimento sagrado no hay Metafísica.

Después de haber devorado a los dioses paganos, la antigua Metafísica construyó sus hermosos sistemas. Vencedora y ya sin enemigos, se disgregó en sectas y escuelas (estoicismo, epicureísmo) o se desangró en tentativas de creación religiosa (neoplatonismo). Esta última empresa se reveló estéril: la Metafísica se alimenta de religión pero no es creadora de religiones. En cambio, las sectas dieron al hombre de la antigüedad algo que no nos han dado las filosofías modernas: una *sagesse*. Ninguna de nuestras filosofías ha producido un Adriano o un Marco Aurelio. Ni siquiera un Séneca: nuestros filósofos prefieren la "autocrítica" al veneno. Cierto, la filosofía moderna nos ha dado una política y nuestros filósofos coronados se llaman Lenin, Trotski, Stalin y Mao Tsetung. Entre los dos primeros y los dos últimos el descenso ha sido vertiginoso. En menos de cincuenta años el marxismo, definido por Marx como un pensamiento crítico y revolucionario, se transformó en la escolástica de los verdugos (el stalinismo) y ahora en el catecismo primario de setecientos millones de seres humanos. La "sagesse" moderna no viene de la filosofía sino del arte. No es una "sagesse" sino una locura, una poética. En el siglo pasado se llamó romanticismo y en la primera mitad del nuestro: surrealismo. Ni la filosofía ni la religión ni la política han resistido el ataque de la ciencia y de la técnica. El arte resistió. Dadá —sobre todo Duchamp y Picabia— se sirvieron de la técnica y así se burlaron de ella, la inutilizaron. No fueron los únicos: fueron los más osados. El arte moderno es una pasión, una crítica y un culto. También es un juego y una sabiduría —loca sabiduría.

La filosofía pagana no creó ninguna religión pero mató a la nueva. El cristianismo resucitó a Platón y Aristóteles y desde entonces el Dios y el Ser, el Único y lo Uno, lucharon en abrazo mortal. La razón absorbió a Dios y se coronó reina: Occidente pensó que si era imposible adorar a un Dios racional, al menos podía venerar a una razón divina. Kant destronó a la razón. Roída por la crítica como ella había roído a Dios, la razón se volvió dialéctica. El tránsito de la Dialéctica del Espíritu al materialismo dialéctico fue el capítulo final. La relación entre Marx y la filosofía es análoga a la de Nietzsche y el cristianismo. En ambos casos lo decisivo es un acto personal que se postula como un método universal; no hay una historia de la filosofía: hay filósofos en la historia. La destrucción de Nietzsche consiste en la inversión de los principios o fundamentos de la Metafísica y culmina en la subversión de los valores tradicionales. Marx no había procedido de otra manera. Según él mismo dice, se limitó a colocar a la dialéctica en su posición *natural*: los pies en la tierra y la cabeza arriba. Lo sensible, el mundo material, fue el fundamento del universo y el antiguo fundamento, la idea, fue su expresión. Para Marx la palabra *natural* no sólo quiere decir lo normal (no era un realista ingenuo); tampoco proclamó la primacía de la naturaleza sobre el espíritu. Esto último habría sido una repetición del antiguo materialismo. La naturaleza de Marx es histórica. La gran novedad fue la humanización de la materia: la acción del hombre, la praxis, vuelve inteligible el opaco mundo natural. Marx quiso escapar así de la contradicción del materialismo tradicional pero introdujo otra oposición que ninguno de sus continuadores ha logrado anular: la dicotomía naturaleza y espíritu reaparece como dualidad entre historia y naturaleza. Si la naturaleza es dialéctica, la historia es parte de la naturaleza y entonces toda la teoría de la praxis —la acción humana que convierte a la materia en historia— resulta superflua; la distinción entre el materialismo dialéctico y el viejo materialismo del siglo XVIII resulta ilusoria: el marxismo no es un historicismo sino un naturalismo. La otra posibilidad no es menos contradictoria: si la naturaleza no es dialéctica, aparece un hiato y el dualismo regresa.

Según Heidegger la operación del "nihilismo completo" no consiste tanto en el cambio de valores o en su devaluación como en la inversión del valor de los valores. La derogación de lo suprasensible —Idea, Dios, Imperativo Categórico, Progreso— como valor supremo no implica la anulación de los valores sino la aparición de un nuevo principio que instaura los valores. Ese principio será de ahora en adelante la fuente del valor. Es la vida. Y la vida en su forma más directa y agresiva: la voluntad de poder. La esencia de la vida es voluntad y la voluntad se expresa como poder. No sé si efectivamente la esencia de la vida sea la voluntad de poder. En todo caso, no me parece que sea el principio u origen del valor, aquello que lo instaura; tampoco creo que sea su fundamento. La esencia de la voluntad de poder se cifra en la palabra *más*. Es un apetito: no un más ser sino un ser más. No el ser: el querer ser. Ese querer ser es la herida por donde se desangra la voluntad de poder. Del mismo modo que el movimiento no puede ser la razón o principio del movimiento (¿quién lo mueve, en qué se apoya?), la voluntad de poder no es el ser sino un querer ser y por esto es incapaz de fundarse a sí mismo y ser el fundamento de los valores. Su esencia consiste en ir más allá de sí;

para encontrar su razón de ser, su *principio*, debe agotar su movimiento, ir hasta el fin: regresar al comienzo. El eterno retorno de lo Mismo entraña una nueva subversión de valores: la restauración de la idea, lo suprasensible, como fundamento del valor. Ni la voluntad de poder ni la idea son principios: son momentos del eterno retorno, fases de lo Mismo.

Ante el materialismo dialéctico el entendimiento se enfrenta a dificultades análogas. La dialéctica es la forma de manifestación, la manera de ser, de la materia, única realidad real; la materia en movimiento es el fundamento de todos los valores. Pero entre materia y dialéctica hay una contradicción: las llamadas leyes de la dialéctica no son observables en los procesos y cambios de la materia. Si lo fuesen, dejaría de ser materia: sería historia, pensamiento o idea. Por otra parte, la dialéctica no puede fundarse a sí misma porque su esencia consiste en negarse apenas se afirma. Es un renacer y remorir perpetuos. Si la voluntad de poder está continuamente amenazada por el regreso de lo Mismo, la dialéctica lo está por su propio movimiento: cada vez que se afirma, se niega. Para no anularse necesita un fundamento, un principio *anterior* al movimiento. Si el marxismo rechaza al Espíritu o a la idea como fundamento y si, por otra parte, según se ha visto, tampoco puede serlo la materia —el círculo se cierra. En uno y otro caso, voluntad de poder o dialéctica de la materia, lo sensible "reniega en sí mismo de su esencia". Esa esencia es precisamente aquello que suprimen en su movimiento la voluntad y la dialéctica: lo suprasensible como fundamento de la realidad, principio original y realidad de realidades. Ambas tendencias desembocan en el nihilismo. El de Nietzsche es un nihilismo que sabe que lo es y por eso es "acabado": contiene el retorno de lo Mismo y su esencia, en esta época de la historia, es lúdica: juego trágico, arte. El de Marx es un nihilismo que se ignora. Aunque es prometeico, crítico y filantrópico no por eso es menos nihilista.

El materialismo dialéctico y la voluntad de poder operaron efectivamente una subversión de valores que nos aligeró y nos templó. Hoy han perdido su virulencia.* La esencia de las dos tendencias es el *más* pero esa terrible energía, a medida que se acelera, se degrada. En nuestros días, la forma perfecta del *más* no es el pensamiento (el arte o la política) sino la técnica. La inversión de valores de la técnica acarrea una devaluación de todos los valores, sin excluir los del marxismo y los de Nietzsche. La vida deja de ser arte o juego y se vuelve "técnica de vida"; lo mismo ocurre con la política: el técnico y el experto suceden al revolucionario. Socialismo ya no quiere decir transformación de las relaciones humanas sino desarrollo económico, elevación del nivel de vida y utilización de la fuerza de trabajo como palanca en la lucha por la autarquía y la supremacía mundial. El socialismo se ha vuelto una ideología y, ahí donde ha triunfado, es una nueva forma de enajenación. Tampoco ha nacido el superhombre aunque hoy los hombres tienen un poder que nunca soñaron los Césares y los Alejandros. El hombre de la técnica es una mezcla de Prometeo y Sancho Panza. Es el "americano" típico: un titán que ama el orden y el progreso, un gigantón fanático que venera el hacer y nunca se pregunta qué es lo que hace y por qué lo hace. No conoce el juego sino el deporte; arroja bombas en Vietnam y envía mensajes a su casa el día de las madres, cree en el amor sentimental y su sadismo se llama higiene, arrasa ciudades y visita al psiquiatra. Sigue atado al cordón umbilical y es explorador del espacio exterior. Progreso, solidaridad, buenas intenciones y actos execrables. No es el hombre de la desmesura; es el desaforado. Perpetuamente arrepentido y perpetuamente satisfecho... Estas reflexiones no son una queja. Nuestro mundo no es peor que el de ayer ni el de mañana será mejor. Además, la vuelta al

* El marxismo la ha perdido como filosofía, no como "ideología" revolucionaria de los países "subdesarrollados".

pasado es imposible. La crítica que hicieron Marx y Nietzsche de nuestros valores fue de tal modo radical que no queda nada de esas construcciones. Esa crítica es nuestro punto de partida y sólo por ella y con ella podemos abrirnos paso hacia ¿dónde? Tal vez ese *dónde* no está en futuro alguno ni en ningún más allá sino en ese espacio y ese tiempo que coincide con nuestro ahora mismo. ¿Algo subsiste? El arte es lo que queda de la religión: la danza sobre el hoyo. La dialéctica es lo que queda de la razón: la crítica de lo real y la exigencia de encontrar el punto de intersección entre el movimiento y la esencia.

LA PERSONA Y EL PRINCIPIO

Un reciente y notable estudio del señor Louis Dumont sobre el régimen hindú de castas (*Homo hierarchicus*, París, 1966), confirma de manera inesperada, al menos para mí, las reflexiones que he aventurado sobre la dificultad que presenta el ser ateo en Occidente y, en sentido opuesto pero simétrico, el ser deísta en la India. El orientalista francés señala que las castas no son unidades o elementos, en el sentido en que lo son el proletariado, la burocracia, el ejército o la Iglesia: corporaciones, entes sociales, individuos completos y distintos de los otros. Las castas no se definen como sustancias, no son *clases*, sino conjuntos de relaciones. Cierto, cada casta posee características propias: territorio, ocupación, función, régimen alimenticio y matrimonial, ceremonias, rituales, etc. Todos estos rasgos no constituyen realmente la casta: definen su relación frente a las otras castas. Son signos de su posición en el conjunto, características distintivas y no constitutivas. Lo que constituye a una casta es el sistema general; lo que la define es su posición dentro del sistema. Es una concepción inversa a la nuestra: para nosotros el individuo constituye a la sociedad y uno y otra se definen como unidades autosuficientes. En Occidente la sociedad es o un conjunto de individuos o un ser total, algo así como un individuo colectivo. Cuando los políticos excitan al pueblo a marchar "como un solo hombre", hacen más que repetir un lugar común: dicen que el grupo es un individuo. Lo que llaman los sajones: "the political body". Entre nosotros la nación es proyección del individuo; en la India, el individuo es una proyección de la sociedad. Nuestro derecho público cristaliza en la *constitución*, palabra que viene de *stare*: estar de pie, inmóvil y firme. Denota la voluntad colectiva de constituirse como un solo ser, como un individuo. En la India no encuentro nada parecido. Todos los conceptos políticos y morales —de la institución de la realeza y el sistema de *varnas* al *dharma*— ignoran la idea de la sociedad como voluntad unitaria. En las lenguas de la India no hay una palabra que designe la realidad que llamamos nación.

El modelo de Occidente es la unidad indivisible, trátese de metafísica (el ser), psicología (el yo) o del mundo social (la nación, la clase, los cuerpos políticos). Un modelo que, por lo demás, no corresponde a la realidad y que ésta destruye continuamente: la dialéctica, la poesía, el erotismo, la mística y, en la esfera de la historia, la guerra y los conflictos intestinos, son las formas violentas y extemporáneas con que la Otredad le recuerda al Uno su existencia. El gran descubrimiento del pensamiento moderno en sus distintas ramas —de la física, la química y la biología a la lingüística, la antropología y la psicología— consiste precisamente en haber encontrado, en lugar de un elemento último irreductible, una relación, un conjunto de partículas inestables y evanescentes. La unidad es plural, contradictoria, en perpetuo cambio e insustancial. Así pues, el pensamiento contemporáneo está lejos de corroborar los supuestos que inspiraban a la tradición central de Occidente. Por el contrario, el arquetipo de la India, su estructura mental básica, es la pluralidad, el flujo, la relación; del mismo modo que los elementos son combinaciones, el individuo es una sociedad. Las ideas de interdependencia y jerarquía son la consecuencia natural de la noción de relación. Nosotros concebimos al sistema como individuo; los hindúes ven al individuo como sistema. Nuestra idea de la comunidad de naciones es la de una asamblea de iguales, en derecho si no en realidad; el régimen de castas postula una interdependencia jerárquica. En Occidente: individualismo, igualdad, rivalidad; en la India: relación, interdependencia, jerarquía. La idea de sustancia inspira a nuestras concepciones; el sistema de castas carece de sustancia: es una cadena de relaciones. Decir que el mundo de castas es un mundo de relaciones equivale a decir que "la caste particulière, l'homme particulier, n'ont pas de substance; ils existent empiriquement, ils n'ont pas d'être... L'individu n'est pas. C'est pourquoi, pour les Hindoues eux-mêmes, dès qu'ils prennent un point de vue substantialiste, tout y compris les dieux, est irréel: l'illusionisme est ici en germe, sa popularité et celle du monisme ne sauraient étonner". Pero antes de ver cómo el pensamiento filosófico disuelve a los dioses, veamos cómo aparecen éstos ante la imaginación popular.

Con frecuencia mis amigos hindúes han tratado de explicarme el politeísmo por medio de una fórmula simple y, en el fondo, europea: los dioses son manifestaciones de lo divino. La explicación no nos dice por qué los dioses cambian de nombre, de región a región y de casta a casta. Ver en este fenómeno un aspecto del sincretismo es ofrecer, en lugar de una interpretación, un nombre: el sincretismo, a su vez, necesita ser explicado. Además, los dioses cambian también de jerarquía y de significado: aquí son creadores y allá destructores. Esos cambios están en relación con el calendario: hay una rotación de divinidades, una revolución divina análoga a la revolución de los astros. La interpretación de los hindúes modernos —los nombres cambian pero el dios permanece— es incompleta y, de nuevo, europea: dotan de sustancia a las divinidades, las convierten en individuos. La verdad parece ser lo contrario: los dioses son intercambiables porque son insustanciales. Son distintos y son los mismos por no poseer existencia autónoma; su ser no es realmente ser: es la condensación momentánea de un conjunto de relaciones. El dios no es sino un haz de atributos —benévolos, funestos e indiferentes— que se actualizan dentro de un contexto determinado. El significado del dios —la actualización de estos o aquellos atributos— depende de su posición dentro del sistema general. Como el sistema está en continua rotación, la posición de los dioses igualmente cambia sin cesar. Otra particularidad: el dios aparece casi siempre acompañado de sus consortes, comúnmente dos. La dualidad, fundamental en el tantrismo, impregna toda la vida religiosa hindú: lo masculino y lo femenino, lo puro y lo impuro, el lado derecho y el izquierdo. Por último, el dios es dueño de un "vehículo" —el toro de Shiva, la rata de Ganesha, el león de Durga— y está rodeado de una caterva de familiares y parásitos. Cada pareja reina sobre un enjambre de divinidades menores. Dios aislado, pareja, enjambre: no individuos sino relaciones.

El panteón hindú es un conjunto de enjambres, un sistema de sistemas. Así pues, reproduce en cierto modo el régimen de las castas. No obstante, sería un error considerarlo como un mero reflejo de la estructura social, según quisiera un marxismo primario: el sistema de castas, por su parte, reposa sobre la distinción entre lo puro y lo impuro. La sociedad hindú es religiosa y la religión hindú, social. Todo se corresponde. Lo divino no es la emanación de un dios; tampoco es una sustancia impersonal, un fluido. Lo divino es una sociedad: un conjunto de relaciones, un campo magnético, una frase. Los dioses serían así como los átomos, las células o los fonemas de lo divino. Aquí haré una crítica a la teoría de Dumont. Me parece que le falta algo esencial: la descripción de aquello que distingue a la sociedad humana de la divina. Hay un elemento diferencial, una nota, un signo —hay algo que separa a lo sagrado de lo profano, a lo puro de lo impuro, a las castas de los enjambres divinos. Dumont nos dice cómo funciona el sistema y en qué consiste su estructura pero no nos dice *qué es.* Su definición no es inexacta: es formal, omite el contenido del fenómeno que estudia. No discutiré más este punto porque lo que me interesa no es la fenomenología del hinduismo sino destacar la solución que dieron al mismo problema los bramines y el pensamiento filosófico de la India.

La pregunta se puede formular, un poco brutalmente, de esta manera: ¿qué es lo divino? La respuesta, antigua como los *Upanishad,* es simple y tajante: hay un ser impersonal, idéntico a sí mismo siempre, un ser que sólo es y que es impermeable al cambio, en el cual todos los dioses, las realidades, los tiempos y los seres se disuelven y reabsorben: *Braman.* Esta idea reduce a irrealidad fantasmagórica al mundo celeste y al terrestre, al tiempo y al espacio. Más tarde sería completada con otra: el ser del hombre, *Atman,* es idéntico al ser del mundo. Quedó así abolido el sujeto. Observo que este monismo absoluto exige una negación no menos absoluta de la realidad y del tiempo. Y hay más: el ser inalterable e indestructible puede definirse únicamente por la negación; no es esto ni aquello ni lo de más allá: *neti, neti.* No es el todo ni las partes; no es trascendencia ni tampoco inmanencia; no está en ninguna parte y es siempre y en todas partes. La negación abrió la puerta al pluralismo *Samkhya* y al budismo: bastó con aplicar la crítica del cambio y de la realidad a la idea de Braman y a la correlativa de Atman. El budismo cortó por lo sano: ni ser ni yo, todo es relación causal. El pluralismo *Samkhya* postuló una naturaleza sin dios (*prakrti*) y almas individuales (*purusa*). Entre estos dos extremos, un monismo absoluto y un pluralismo igualmente absoluto, se despliega el abanico del pensamiento hindú. Por más profundas que parezcan las diferencias entre una y otra posición, todas ellas se disuelven o reconcilian en su fase final: *moshka, nirvana*. La aniquilación, reabsorción o liberación del yo individual equivale a la desaparición de uno de los términos. Abolición del cambio, la dualidad, el tiempo, la irreal realidad del yo. La *bakthi* misma —la unión amorosa del devoto con su deidad— no es una excepción: por más individual y sustancializado que nos parezca Krishna, sólo es un avatar de Visnú, una manifestación del ser impersonal, tal como lo relata el conocido e impresionante pasaje del Bhagavad-Gita. En todos los casos, victoria de lo Uno.

La inmensa tentativa del pensamiento especulativo por infundir una sustancia al sistema divino, por convertir la relación en ser distinto y autosuficiente, culmina en un monismo explícito (*Vedanta*) o implícito (budismo *Madhyamika*). En apariencia simplifico pero no tanto: por una parte: todos los pluralismos desembocan en la idea de moshka o nirvana, que los anula; por la otra, la oposición entre el hinduismo y el budismo —en sus formas más extremas: el monismo de Sankara y el relativismo de Nagarjuna— es una oposición complementaria. La versión blanca y la versión negra de un mismo pensamiento que postula con idéntico rigor la irrealidad de todo lo que no sea el Ser o la irrealidad de todo lo que no sea el Cambio. La afirmación del Ser se realiza por medio de negaciones absolutas: ni esto ni aquello; la afirmación del Cambio también es negativa y absoluta: "in primitive Buddhism all elements are interdependent and real; in the new Buddhism, they are unreal because they are interdependent".* El Ser y *Sunyata* (vacuidad) son idénticos: nada se puede decir sobre ellos, excepto la sílaba *No*. En sánscrito cero se puede decir *sunya* (vacío) pero también *purna* (pleno).

Puede ahora apreciarse en qué consiste el trán-

* T. Scherbatsky, *Buddhist Logic*, 1962.

sito de la relación a la unidad. La relación desaparece, sea por absorción en el Ser o dispersión en el No ser; desaparece pero no se transforma en sustancia. Ninguno de los dos conceptos en que se disuelve, Ser o Vacuidad, muestran parecido alguno con los conceptos correlativos del pensamiento occidental: principio de razón suficiente, causa, fundamento, razón de ser. Ni el Ser del Vedanta ni la Vacuidad del budismo son constituyentes; al contrario: son disolventes. Con ellos no empieza el hombre: con ellos termina. Son la verdad final. No están en el comienzo, como el ser, la energía, el espíritu o el Dios cristiano; están más allá, en una región que sólo la negación puede designar. Son la liberación, lo incondicionado; ni muerte ni vida sino la libertad de la cadena de morir y vivir. En realidad, no son conceptos ontológicos, al menos a la manera de Occidente. Traducir Braman por Ser y Sunyata por Vacuidad es algo peor que una inexactitud lingüística: una infidelidad espiritual.

Una de las consecuencias de esta manera de pensar es que el problema del tiempo y el de la creación pasan a segundo término. La noción de un tiempo irreversible y la consecuente de un Dios creador de ese tiempo son nociones que, propiamente hablando, no pertenecen a la lógica del sistema. Son ideas superfluas, conceptos hijos de la ilusión o curiosidades de las sectas. Es verdad que el Dios personal desempeña un papel de primer orden en la vida religiosa hindú pero, según ya dije, aparece siempre como manifestación o avatar de otra divinidad que a su vez no tiene más consistencia que ser una relación en el conjunto de relaciones que es el sistema divino. Desde la perspectiva de la especulación hindú, el deísmo es un fenómeno secundario. Lo es de dos maneras: en primer término, dice Hajime Nakamura, "the ultimate Absolute presumed by the Indian is not a personal god but an impersonal Principle"; * ade-

* Hajime Nakamura: *Ways of thinking of Eastern peoples*, 1964.

más, el dios es creador por error o inadvertencia, engañado por el poder de la ilusión (*maya*). O como señala el mismo Nakamura: "there is no maya in God himself but when he creates the world... maya attaches itself to him. *God is an illusory state*". Dios no tiene ser: ¿lo tiene ese Principio de que habla el profesor japonés?

Aunque pocos estarán de acuerdo conmigo, creo que el Braman hindú no corresponde a nuestra idea de ser: es un concepto impersonal, vacío, insustancial —el otro polo y el complemento de la noción de relación. Me explico: lo contrario del Ser es el No ser y sobre esa pareja se edifica la metafísica griega y europea; lo contrario de la relación es la ausencia de relación, la nulidad, el cero (*sunya*). El absoluto hindú, Braman, carece de relaciones; el absoluto budista, Sunyata, no es sino relaciones irreales. Ambos se definen por la ausencia y ambos eliminan o absorben al término contrario: anulan la relación. En Occidente, el acento se carga sobre la afirmación: vemos al No ser desde el Ser; en la India, sobre la negación: ven a la relación —al mundo humano y al divino— desde un Absoluto que se define como negación o que es la negación misma. El No ser de Occidente está subordinado al Ser, es *carencia* de realidad; la relación hindú, el flujo vital, está subordinada al cero, es *exceso* irreal. En el primer caso, la unidad del Ser es positiva; en el segundo es negativa. Por eso Braman es, en esencia, idéntico a Sunyata: los dos son el *No* que opone lo Absoluto tanto a la relación —mundo, tiempo, dioses— como al pensamiento discursivo. Nosotros tenemos la tendencia a exagerar la oposición entre Braman y Sunyata, entre la teoría del *atman* (ser) y la del *anatma* (no ser), porque concebimos esa oposición en términos de metafísica occidental. Así, Raymundo Panikar lamenta que "no haya surgido todavía, entre el Parménides de la India y su Heráclito, un Aristóteles... que muestre cómo el ser que se mueve, cambia y no es aún Braman, tampoco es nulidad irreal".* De nuevo: la mediación es imposible porque la oposición no es entre Ser y No ser ni entre Ser y Cambio sino entre dos conceptos que nacen de algo totalmente extranjero a la tradición griega y europea. El pensamiento de Occidente arranca de la idea de sustancia, cosa, elemento, ser; el de la India de la relación, la interpenetración, la interacción, el flujo. Por eso define al Absoluto como cesación del cambio, esto es, como negación de la relación y de la acción. La India no niega el Ser: lo ignora. Niega el cambio: es *maya*, ilusión. El pensamiento europeo no niega la relación: la ignora. Afirma el cambio: es el ser al desplegarse o manifestarse.

La negación y el estatismo o inmovilidad son dos rasgos constantes del pensamiento de la India, en la rama hindú tanto como en la budista. Nakamura subraya la afición de los indios por las expresiones negativas; son abundantes lo mismo en sánscrito y pali que en los idiomas modernos. Ahí donde un europeo dice "victoria o derrota", un indio dice "victoria o no-victoria". En lugar de paz, "no violencia" y "no pereza" en lugar de diligencia. El cambio es "impermanencia" y aquel que ha alcanzado la iluminación o liberación "va a un no encuentro con el Rey de los muertos". El negativo abstrae, impersonaliza, chupa la sustancia a las ideas, los nombres, los actos. Nagarjuna formuló toda su doctrina en Ocho Negaciones. Si lo real es negación, el cambio es irreal. Para nosotros lo real es positivo y de ahí que el cambio no sea sinónimo de irrealidad. El cambio puede ser un modo imperfecto del ser *con relación* a la esencia, pero no es una ilusión. Para el hindú el cambio es una ilusión porque *carece de relación* con lo absoluto. Lo más notable —lo más profundo— es la identificación de la realidad con la negación. También es notable la concepción estática del cambio. El griego dice: todo fluye; el hindú: todo es impermanente. En Occidente es difícil pensar la nada y Heidegger

* Raymundo Panikar: *Maya e Apocalisse*, Roma, 1966.

ha mostrado que, en verdad, es impensable: es el fondo insondable sobre el que aletea el pensar metafísico. En la India lo difícil es pensar el ser. La esencia, la realidad de realidades, carece de forma y de nombre. Para Platón la esencia es la *idea*: una forma, un arquetipo. Los griegos inventaron la geometría; los hindúes, el cero. Para nosotros la religiosidad hindú es atea. Un hindú podrá decir que inclusive nuestra ciencia y nuestro ateísmo están impregnados de deísmo. El tiempo y el cambio son reales para nosotros porque son modos del ser —un ser que emerge del caos o de la nada y que se despliega como una aparición. Las divinidades de Occidente son presencias que emanan energía. La idea de Otto sobre lo numinoso es una consecuencia de nuestro sentimiento del dios como presencia magnética: lo divino es el fluido de la deidad, su producción. En la India, el dios es el producto de lo divino. En fin, entre nosotros, lo divino se concentra en la Persona; entre los hindúes se disuelve en lo Impersonal.

EL LIBERADO Y LOS LIBERTADORES

La dialéctica de Nagarjuna es la negación universal: el camino hacia la vacuidad; en la de Hegel, la negación es un momento creador del proceso, la negatividad es la vía hacia el ser. En la dialéctica hegeliana la contradicción "no resulta en nulidad absoluta o Nada: esencialmente es una negación de su propio contenido".* La filosofía occidental nunca ha ignorado la negatividad inherente al concepto, sólo que ha visto en ella un aspecto de la idea, el ser o la realidad, no un absoluto y menos aún lo Absoluto. Así, Occidente ha inventado la negación creadora, la crítica revolucionaria, la contradicción

* T. Scherbatsky, *Buddhist Logic* (en el capítulo sobre la dialéctica: *European parallels*: *Kant and Hegel*).

que afirma aquello mismo que niega. La India ha inventado la liberación por la negación y ha convertido a ésta en la madre sin nombre de todos los seres vivos. Estas dos visiones contrarias han engendrado, a su vez, dos tipos de sabiduría, dos modelos de vida espiritual: el libertador y el liberado. Para el último, la crítica es un instrumento de desasimiento: no quiere constituirse sino desistirse; para el primero, es un arma de creación: quiere reunirse consigo mismo y con el mundo. El hindú ejerce la negación como un método interior: no pretende salvar al mundo sino destruir en sí mismo al mundo; el europeo la practica como una perforación de la realidad, como una manera de apropiarse del mundo: gracias a la negación, el concepto cambia al mundo y lo hace suyo. El liberado usa la crítica como aprendizaje del silencio; el libertador se sirve de ella para someter la palabra indócil a la ley de la razón. El hindú afirma que el lenguaje, al llegar a cierto nivel, carece de significado; el occidental ha decidido que aquello que carece de significación carece también de realidad. En Europa la crítica determina las causas y las estructuras y es un instrumento de medición tan fino que ha hecho de la misma indeterminación, ya que no una ley, un principio. En la India la negación, no menos sutil que la de Occidente aunque aplicada a otros fenómenos, está al servicio de la indeterminación: su oficio es abrirnos las puertas de lo incondicionado... Pero tal vez será mejor emprender el paralelo desde la perspectiva de la antropología. Volveré una vez más al libro de Dumont, guía inmejorable.

Al comparar la sociedad occidental moderna con la hindú, el antropólogo francés traza, a la manera de su maestro Lévi-Strauss, un cuadro de oposiciones simétricas. Lo sustantivo en la India es la pareja religiosa de lo puro y lo impuro y sobre esta distinción se construye el edificio social: la sociedad jerárquica (interdependencia y separación de castas); en Occidente lo sustantivo es la noción arreligiosa de individuo y sobre ella se asienta la concepción de la sociedad igualitaria y la idea de nación. En la India la estructura social es religiosa; en Europa es económico-política. Así pues, lo adjetivo en el mundo hindú es lo económico-político y entre nosotros lo es la religión (asunto privado). Las contradicciones, adjetivas también, son: en la India, las sectas; en Occidente, los totalitarismos, los racismos, las clases y la jerarquía (residuos de nobleza, el ejército, la Iglesia, etc.). Todas estas oposiciones se resumen en dos mayores: el hombre como sociedad (hombre jerárquico) y la sociedad como individuo (hombre igualitario). La sociedad jerárquica es total pero no totalitaria y así ha inventado una vía de salida para el hombre individual: la vida libre del *sanyasi*, el *sadhú* y el monje budista o jainita. Esa libertad se consigue por medio de la renuncia al mundo: a los deberes y a las ventajas de la casta. Dumont no encuentra nada equivalente en la tradición occidental. En efecto, el ideal del sabio de la antigüedad estuvo de tal modo ligado a la idea de la "polis" que apenas si es necesario aludir al carácter social de la sabiduría grecorromana. Durante el apogeo del cristianismo, la acción de los santos y de los religiosos se desplegó en el mundo, aunque sirviesen a una causa y a una verdad ultramundanas. En cambio, en la India el sanyasi vive efectivamente fuera de la sociedad: escapa a sus reglas y su acción no tiende ni a la reforma del mundo ni a la salvación de las almas.* ¿Hay algo en el Occi-

* Cierto, los que vivimos en Delhi, presenciamos en 1966 el espectáculo de una manifestación popular, encabezada por varias centenas de *sadhúes*, que se batió con arrojo contra la policía a las puertas del Parlamento indio. Se trataba de una protesta contra la matanza de vacas; *donc*, de un acto religioso. No niego que, además, en este caso, como en otros, hay contagio de los procedimientos de Occidente, ya que no de las ideas. Sobre esto vale la pena señalar que la ideología igualitaria no ha destruido el sistema de castas pero puede convertirlo en algo muy peligroso: en algunos lugares las castas ya obran como individuos y se han convertido en corporaciones políticas cerradas. El igualitarismo ha quebrantado las nociones de jerarquía e interde-

dente moderno que pueda compararse a la institución del sanyasi? Dumont no lo cree. Yo creo que sí: el artista rebelde y el revolucionario profesional. Aunque son dos tipos de hombre en vías de desaparición en las sociedades industriales, sus figuras todavía encienden la imaginación de muchos jóvenes.

No es absurdo comparar al sanyasi con el artista y el revolucionario: el vagabundo que busca la liberación y los que aspiran a liberarnos se encuentran en una posición excéntrica en sus respectivas sociedades. Así pues, habrá que comparar, en primer término, la relación de uno y otros con sus mundos. El sanyasi no se opone al mundo: lo niega; el artista se coloca al margen, en actitud de desafío y escarnio; el revolucionario se opone activamente: quiere destruirlo para edificar otro mejor. La primera relación es religiosa y de indiferencia; la segunda es secular, activa y de oposición. La reacción de la sociedad también es diferente. La hindú adopta una actitud de reverencia y de extrema benevolencia; el sadhú puede practicar los ritos más extravagantes, crueles o repulsivos, los más opuestos a la religión y al ritual colectivos, sostener las opiniones menos convencionales, andar vestido o desnudo: nada de eso empaña su prestigio o compromete su respetabilidad. Es un *intocable,* sólo que su contacto no mancha: ilumina, limpia. Es la excepción sagrada, la violación santificada, la trasgresión legítima, la fiesta encarnada en un individuo. Está libre de la relación: la casta no lo define. Una pura singularidad andante. El artista es el incomprendido, el parásito, el excéntrico; vive en un grupo cerrado y aun el barrio que habita

pendencia y así ha hecho de la casta una entidad agresiva. El igualitarismo es contradictorio: por una parte, es un proyecto de fundar la armonía social en la igualdad; por la otra, abre las puertas a la competencia y la rivalidad. Su verdadero nombre es envidia. El mismo fenómeno se observa en las luchas "comunalistas", es decir, entre hindúes, mahometanos y sikhs: las diferencias religiosas no han desaparecido sólo que ahora se expresan como lucha política violenta que, a veces, se transforma en guerra civil.

con sus congéneres es un lugar equívoco; lo miran con desconfianza el burgués, el proletario y el profesor. El revolucionario es el perseguido por todas las policías, el hombre sin pasaporte y con mil nombres, denunciado por la prensa y reclamado por el juez: todo es legítimo para neutralizarlo. Otra contradicción sorprendente: el artista consagrado regresa al mundo, es millonario o gloria nacional y, si es mexicano, al morir lo entierran en el Panteón de los Hombres Ilustres; el revolucionario en el poder, por su parte, constituye inmediatamente un Comité de Salud Pública y persigue con mayor rigor que el antiguo tirano a todos los disidentes. En cambio, el sanyasi no puede regresar al mundo, bajo pena de convertirse en un intocable pero ahora de aquellos cuya sombra corrompe hasta el agua santa del Ganges. Por último, el asceta hindú aspira a la liberación: romper el ciclo de muerte y nacimiento, anular el yo, disolverse en lo ilimitado y lo incondicionado, acabar con el esto y el aquello, el sujeto y el objeto —penetrar con los ojos abiertos en la noche de la Negación. El artista quiere realizarse o realizar una obra, salvar la belleza o cambiar el lenguaje, dinamitar las conciencias o liberar las pasiones, oponerse a la muerte, comunicarse con los hombres aunque sólo sea para mejor escupirlos. El revolucionario quiere abolir la injusticia, imponer la libertad, hacernos felices o virtuosos, aumentar la producción y el consumo, someter las pasiones a la perfección de la geometría. *Cambiar el mundo* y *cambiar la vida*: estas dos fórmulas, que tanto conmovían a Breton, son el resumen de la sabiduría moderna de Occidente. Si un sanyasi las oyese y las *comprendiese*, después de recobrarse de su natural estupefacción, las saludaría con una carcajada que interrumpiría por un instante la meditación de todos los Budas y el largo abrazo erótico de Shiva y Parvati.

III

REVUELTA, REVOLUCIÓN, REBELIÓN – LA RONDA VERBAL – EL RATÓN DEL CAMPO Y EL DE LA CIUDAD – EL CANAL Y LOS SIGNOS – HARTAZGO Y NÁUSEA – REVISIÓN Y PROFANACIÓN – LAS DOS RAZONES – LA EXCEPCIÓN DE LA REGLA – LAS REGLAS DE LA EXCEPCIÓN – EL PUNTO FINAL – UNA FORMA QUE SE BUSCA – LA REVUELTA

REVUELTA, REVOLUCIÓN, REBELIÓN

En castellano se usa poco la palabra revuelta. La mayoría prefiere revolución y rebelión. A primera vista lo contrario habría sido lo natural: revuelta es más popular y expresiva. En 1611 Covarrubias la definía así: "rebolver es ir con chismerías de una parte a otra y causar enemistades y quistiones: y a éste llamamos rebolvedor y reboltoso, rebuelta la cuestión".* Los significados de revuelta son numerosos, desde segunda vuelta hasta confusión y mezcla de una cosa con otra; todos están regidos por la idea de regreso asociada a la de desorden y desarreglo. Ninguna de las acepciones es buena, quiero decir: ninguna dice que la revuelta sea un hecho valioso. En una sociedad como la España del siglo XVII, la revuelta representaba un principio funesto: la confusión de clases, el regreso al caos primitivo, la agitación y desorden que amenaza la fábrica social. Revuelta era algo que disolvía las distinciones en una masa informe. Para Bernardo de Balbuena la civilización consiste en la institución de las jerarquías, creadora de la necesaria desigualdad entre los hombres; la barbarie es el retorno a la naturaleza: a la igualdad. No es fácil determinar cuándo empezó a usarse la palabra revuelta con la significación de levantamiento espontáneo del pueblo. Según Corominas la historia de la acepción alboroto o alteración del orden social está por hacer. En francés aparece hacia 1500, en el sentido de "cambiar de partido" y sólo hasta un siglo después adquiere el significado de rebelión. Aunque el diccionario de Littré indica que viene del italiano *rivoltare* (volver del revés), Corominas piensa tal vez sea de procedencia catalana: *revolt, temps de revolt.* Cualquiera que sea su origen, la mayoría escribe y dice revolución o rebelión cuando se refiere a disturbios y subleva-

* Joan Corominas: *Diccionario crítico-etimológico de la lengua castellana.*

ciones públicos. Revuelta se deja para significar motín o agitación sin propósito definido. Es una palabra plebeya.

Las diferencias entre el revoltoso, el rebelde y el revolucionario son muy marcadas. El primero es un espíritu insatisfecho e intrigante, que siembra la confusión; el segundo es aquel que se levanta contra la autoridad, el desobediente o indócil; el revolucionario es el que procura el cambio violento de las instituciones. (Apenas me detengo en las definiciones de nuestros diccionarios porque parecen inspiradas por la Dirección de Policía). A pesar de estas diferencias, hay una relación íntima entre las tres palabras. La relación es jerárquica: revuelta vive en el subsuelo del idioma; rebelión es individualista; revolución es palabra intelectual y alude, más que a las gestas de un héroe rebelde, a los sacudimientos de los pueblos y a las leyes de la historia. Rebelión es voz militar; viene de *bellum* y evoca la imagen de la guerra civil. Las minorías son rebeldes; las mayorías, revolucionarias. Aunque el origen de revolución sea el mismo que el de revuelta (*volvere*: rodar, enrollar, desenrollar) y aunque ambas signifiquen regreso, la primera es de estirpe filosófica y astronómica: vuelta de los astros y planetas a su punto de partida, movimiento de rotación en torno a un eje, ronda de las estaciones y las eras históricas. En revolución las ideas de regreso y movimiento se funden en la de orden; en revuelta esas mismas ideas denotan desorden. Así, revuelta no implica ninguna visión cosmogónica o histórica: es el presente caótico o tumultuoso. Para que la revuelta cese de ser alboroto y ascienda a la historia propiamente dicha debe transformarse en revolución. Lo mismo sucede con rebelión: los actos del rebelde, por más osados que sean, son gestos estériles si no se apoyan en una doctrina revolucionaria. Desde fines del siglo XVIII la palabra cardinal de la tríada es revolución. Ungida por la luz de la idea, es filosofía en acción, crítica convertida en acto, violencia lúcida. Popular como la revuelta y generosa como la rebelión, las engloba y las guía. La revuelta es la violencia del pueblo; la rebelión, la sublevación solitaria o minoritaria; ambas son espontáneas y ciegas. La revolución es reflexión y espontaneidad: una ciencia y un arte.

El descenso de la palabra revuelta se debe a un hecho histórico preciso. Es una palabra que expresa muy bien la inquietud y la inconformidad de un pueblo que, aunque se amotine contra esta o aquella injusticia, está dominado por la noción de que la autoridad es sagrada. Igualitaria, la revuelta respeta el derecho divino del monarca: *de rey abajo, ninguno*. Su violencia es el oleaje del mar contra el acantilado: lo cubre de espuma y se retira. La acepción moderna de revolución en España e Hispanoamérica fue una importación de los intelectuales. Cambiamos revuelta, voz popular y espontánea pero sin dirección, por una que tenía un prestigio filosófico. La boga del vocablo no indica tanto una revuelta histórica, un levantamiento popular, como la aparición de un nuevo poder: la filosofía. A partir del siglo XVIII la razón se vuelve un principio político subversivo. El revolucionario es un filósofo o, al menos, un intelectual: un hombre de ideas. Revolución convoca muchos nombres y significados: Kant, la Enciclopedia, el Terror jacobino y, más que nada, la destrucción del orden de los privilegios y las excepciones y la fundación de un orden que no dependa de la autoridad sino de la libre razón. Las antiguas virtudes se llamaban fe, fidelidad, honor. Todas ellas acentuaban el vínculo social y correspondían a otros tantos valores comunes: la fe, a la Iglesia como encarnación de la verdad revelada; la fidelidad, a la autoridad sagrada del monarca; el honor, a la tradición fundada en la sangre. Esas virtudes tenían su contrapartida en la caridad de la Iglesia, la magnanimidad del rey y la lealtad de los súbditos, fuesen villanos o señores. Revolución designa a la nueva virtud: la justicia. Todas las otras —fraternidad, igualdad, libertad— se fundan en ella. Es una virtud que no depende de la revelación, el poder o la sangre. Universal como la razón, no admite excepciones e ignora por igual la arbitrariedad y la piedad. Revolución: palabra de los justos y de los justicieros. Un poco después surge otra palabra, hasta entonces vista con horror: rebelión. Desde el principio fue romántica, guerrera, aristocrática, *déclasée*. Rebelde: el héroe maldito, el poeta solitario, los enamorados que pisotean las leyes sociales, el plebeyo genial que desafía al mundo, el dandy, el pirata. Rebelión también alude a la religión. No al cielo sino al infierno: soberbia del príncipe caído, blasfemia del titán encadenado. Rebelión: melancolía e ironía. El arte y el amor fueron rebeldes; la política y la filosofía, revolucionarias.

En la segunda mitad del siglo pasado aparece otro vocablo: reformista. No venía de Francia sino de los países sajones. La palabra no era nueva; lo eran su sentido y la aureola que la rodeaba. Palabra optimista y austera, singular combinación de protestantismo y positivismo. Esta alianza de la vieja herejía y la nueva, el luteranismo y la ciencia, hizo que la odiasen todos los casticistas y conservadores. Su odio no era gratuito: bajo apariencias decorosas la palabra escondía el contrabando revolucionario. Pero era una palabra decente. No vivía en los suburbios de los revoltosos ni en las catacumbas de los rebeldes sino en las aulas y las redacciones de los periódicos. El revolucionario invocaba a la filosofía; el reformista a las ciencias, la industria y el comercio: era un fanático de Spencer y los ferrocarriles. Ortega y Gasset hizo una distinción muy aguda, aunque tal vez no muy cierta, entre el revolucionario y el reformista: el primero quiere cambiar los usos; el segundo, corregir los abusos. Si fuese así, el reformista sería un rebelde que ha sentado cabeza, un satán que desea colaborar con los poderes constituidos. Digo esto porque el rebelde, a diferencia del revolucionario, no pone en entredicho la totalidad del orden. El rebelde ataca al tirano; el revolucionario a la tiranía. Admito que hay rebeldes que juzgan tiránicos a todos los gobiernos; no es menos cierto que condenan el abuso, no el poder mismo; en cambio, para los revolucionarios el mal no reside en los excesos del orden constituido sino en el orden mismo. La diferencia, me parece, es considerable. A mi juicio las semejanzas entre el revolucionario y el reformista son mayores que aquello que los separa. Los dos son intelectuales, los dos creen en el progreso, los dos rechazan al mito: su creencia en la razón es inquebrantable. El reformista es un revolucionario que ha escogido el camino de la evolución y no el de la violencia. Sus métodos son distintos, no sus objetivos: también el reformista se propone cambiar los usos. Uno es partidario del salto; el otro del paso. Ambos creen en la historia como proceso lineal y marcha hacia adelante. Hijos de la burguesía, los dos son modernos.

Revolución es una palabra que contiene la idea del tiempo cíclico y, en consecuencia, la de regularidad y repetición de los cambios. Pero la acepción moderna no designa la vuelta eterna, el movimiento circular de los mundos y los astros, sino el cambio brusco y *definitivo* en la dirección de los asuntos públicos. Si ese cambio es definitivo, el tiempo cíclico se rompe y un nuevo tiempo comienza, rectilíneo. La nueva significación destruye a la antigua: el pasado no volverá y el arquetipo del suceder no es lo que fue sino lo que será. En su sentido original, revolución es un vocablo que afirma la primacía del pasado: toda novedad es un regreso. La segunda acepción postula la primacía del futuro: el campo de gravitación de la palabra se desplaza del ayer conocido al mañana por conocer. Es un haz de significaciones nuevas: preeminencia del futuro, creencia en el progreso continuo y en la perfectibilidad de la especie, racionalismo, descrédito de la tradición y la autoridad, humanismo. Todas estas ideas se funden en la del tiempo rectilíneo: la historia concebida como marcha. Es la irrupción del tiempo profano. El tiempo cristiano era finito: comenzaba en la Caída y terminaba en la Eternidad, al otro día del Juicio Final. El tiempo moderno, revolucionario o reformista, rectilíneo o en espiral, es infinito.

El cambio de significado de revolución afecta también a la palabra revuelta. Guiada por la filosofía, se transforma en actividad prerrevolucionaria: accede a la historia y al futuro. Por su parte la palabra guerrera, rebelión, absorbe los antiguos significados de revuelta y revolución. Como la primera, es protesta espontánea frente al poder; como la segunda, encarna al tiempo cíclico que pone arriba lo que estaba abajo en un girar sin fin. El rebelde, ángel caído o titán en desgracia, es el eterno inconforme. Su acción no se inscribe en el tiempo rectilíneo de la historia, dominio del revolucionario y del reformista, sino en el tiempo circular del mito: Júpiter será destronado, volverá Quetzalcoatl, Luzbel regresará al cielo. Durante todo el siglo XIX el rebelde vive al margen. Los revolucionarios y los reformistas lo ven con la misma desconfianza con que Platón había visto al poeta y por la misma razón: el rebelde prolonga los prestigios nefastos del mito.

LA RONDA VERBAL

Los significados de las palabras permanecieron intactos. Fue un cambio de posición, no de sentido. Y fue un cambio triple: unas palabras que eran oídas con desconfianza y reprobación ascienden al cielo verbal y ocupan el lugar de otros tres vocablos venerables: rey, tradición, Dios; en el interior del triángulo, revolución se convierte en la palabra central; y en el interior de cada palabra, los significados secundarios se vuelven los más importantes: revuelta no es tanto confusión como alzamiento popular, rebelión deja de ser desobediencia díscola para transformarse en protesta generosa, revolución no es regreso al origen sino instauración del futuro.

Como en el caso de la posición de los cromosomas en las células hereditarias, estos desplazamientos determinaron otros en nuestro sistema de creencias y valores. Las palabras y los significados eran los mismos, pero a la manera de la evolución de las figuras de baile en el tablado o de las estrellas en el cielo, la rotación de las palabras reveló una distinta orientación de la sociedad. Ese cambio produjo asimismo una alteración de los ritmos vitales. El tiempo rectilíneo, el tiempo moderno, ocupa el centro de la constelación verbal y el tiempo circular, imagen de la perfección eterna para Platón y Aristóteles, abandona el ámbito de la razón y se degrada en creencia más o menos inconsciente. La noción de perfección se vuelve simultáneamente accesible para todos e infinita: es un progreso continuo, no individual sino colectivo. El género humano recobra su inocencia original, puesto que es perfectible por sus obras y no por la gracia divina; el hombre individual pierde la posibilidad de la perfección, puesto que no es él, sino la humanidad entera, el sujeto del progreso sin fin. La especie progresa aunque se pierda el individuo. La mancha original se desvanece pero el cielo se despuebla. Al cambio de orientación en las actividades y pensamientos de los hombres corresponde un cambio de ritmo: el tiempo rectilíneo es el tiempo acelerado. El tiempo antiguo estaba regido por el pasado: la tradición era el arquetipo del presente y del futuro. El tiempo moderno siente el pasado como un fardo y lo arroja por la borda: está imantado por el futuro. No ha sido la técnica la creadora de la velocidad: la instauración del tiempo moderno hizo posible la velocidad de la técnica. Ésa es la significación de la frase vulgar: ahora se vive más aprisa. La aceleración depende de que vivimos cara al futuro, en un tiempo horizontal y en línea recta.

Para un protagonista de la historia moderna este desplazamiento de las palabras es una revolución en el sentido político: un cambio radical y definitivo; para un espectador que se colocase fuera del torbellino histórico, ese cambio sería también una revolución —en el sentido astronómico: un momento de la rotación del mundo. El segundo punto de vista no es absurdo. Desde el interior de la conjunción presente se advierte ya un nuevo desplazamiento verbal: a medida que nos alejamos del siglo XIX y de sus filosofías, la figura del revolucionario pierde su brillo y la del rebelde asciende en el horizonte. Debo advertir que se trata de un fenómeno que sólo afecta a una mitad de la sociedad contemporánea: a los países industriales o "desarrollados" y sin excluir a los de la periferia, la Unión Soviética y el Japón. El cambio es visible en las artes, desde las más abstractas como la música y la poesía, hasta los más populares: la novela y el cine. La mudanza también es palpable en la vida pública y en la imaginación de las masas. Nuestros héroes y heroínas son seres de excepción pero, a diferencia de los del pasado, no sólo afrontan las leyes sociales sino que las afrentan. Inclusive en la tierra de elección de la moral del "hombre futuro" y en el reducto de los valores tradicionales, la Unión Soviética y el Japón, triunfa la rebelión moderna que afirma el valor único del presente instantáneo. Nuestra visión del tiempo ha vuelto a cambiar: la significación no está en el pasado ni en el futuro sino en el instante. En nombre del instante han caído una a una las antiguas barreras; lo prohibido, territorio inmenso hace un siglo, hoy es una plaza pública a la que cada hijo de vecino tiene derecho de entrada.

La moda, las canciones, los bailes, las costumbres eróticas, la publicidad y las diversiones, todo, está ungido por la luz equívoca de la subversión. Porque nuestra rebeldía es equívoca. Figura intermedia entre el revolucionario y el tirano, el rebelde moderno encarna los sueños y los terrores de una sociedad que, por primera vez en la historia, conoce simultáneamente la abundancia colectiva y la inseguridad psíquica. Un mundo de objetos mecánicos nos obedece y nunca hemos tenido menos confianza en los valores de la tradición y en los de la utopía, en la fe y en la razón. Las sociedades industriales no son creyentes: son crédulas. Por una parte, son fanáticas, del progreso y de la ciencia; por la otra, han cesado de confiar en la razón. Son noveleras y antitradicionalistas, lo que no les impide haber abandonado casi por completo la idea de revolución. La evaporación de los valores del pasado y del futuro explica la rabia con que nuestros contemporáneos se abrazan al instante. Abrazan a un fantasma y no lo saben; esto los distingue de los epicúreos y de los románticos. El culto al instante fue una "sagesse" o una desesperación. En la antigüedad grecorromana fue una filosofía para enfrentarse a la muerte; en la época moderna, la pasión que transforma el instante en acto único. El instante no era únicamente lo pasajero sino lo excepcional, aquello que nos ocurría una vez y para siempre: el "instante fatal", el de la muerte o el del amor, el instante de la verdad. Excepcional y definitivo, era también una experiencia personal. La nueva rebeldía diluye el instante en lo cotidiano y lo despoja de su mayor seducción: lo imprevisto. No es lo que puede ocurrir el día menos pensado sino lo que pasa a todas horas. Es un culto promiscuo: engloba a todas las clases, edades y sexos. Para nuestros padres el instante era sinónimo de separación, línea entre el antes y el después; hoy designa la mezcla de una cosa con otra. No la fusión: la confusión. La noción de grupo, algo aparte y opuesto a la sociedad, cede el sitio a la de oleada que asciende a la superficie para desaparecer inmediatamente en la masa líquida.

Es comprensible la indiferencia del público ante los gobernantes actuales: ningún mandatario de los países desarrollados puede proclamar la subversión universal. El amor y el terror que infundían Lenin y Trotski, Stalin y Hitler, parecen hoy aberraciones colectivas. Extinguida la especie de los grandes revolucionarios y la de los déspotas, los nuevos gobernantes no son jefes ni guías sino administradores. Cuando surge una personalidad brillante, los políticos y las masas no ocultan su zozobra. Los yanquis lloraron a Kennedy y, después respiraron: podían volver a vivir tranquilos. El asesinato de Kennedy refleja el estado de espíritu de la sociedad angloamericana. Al principio se pensó que el joven Presidente había sido víctima de una conspiración, ya fuese de la derecha o de la izquierda: un nuevo crimen "ideológico". No, la investigación parece que ha puesto en claro que fue un acto aislado de un hombre confuso. En la pieza de Lope de Vega la justicia pregunta: "¿Quién mató al Comendador?", y el pueblo responde en coro: "¡Todos a una!" A Kennedy lo mató uno como todos. Ese uno no tiene rostro: es el ninguno universal. No es extraño que en este mundo de funcionarios el general De Gaulle resulte una excepción: es un sobreviviente de la edad heroica. Lejos de ser un revolucionario, es la encarnación misma de la tradición y de ahí que, a su manera, represente también una rebelión: un gobernante con estilo es algo insólito en un mundo de medianías. Jruschov hablaba en refranes, como Sancho Panza; Eisenhower repetía con dificultad las fórmulas del *Reader's Digest*; Johnson se expresa en un dialecto híbrido, mezcla de la retórica popular del New Deal y de la brutalidad del *sheriff* texano; los otros cultivan la jerga impersonal y bastarda de los "expertos" de las Naciones Unidas. Basta con volver los ojos hacia el "tercer mundo" para darse cuenta del contraste: Mao Tse-tung o Nasser son algo más que gobernantes: son jefes y son símbolos. Sus nombres son talismanes que abren las puertas de la historia, cifras del destino de sus pueblos. En sus figuras se alía el antiguo prestigio del héroe al más moderno del revolucionario. Son el poder y la filosofía, Aristóteles y Alejandro en un solo hombre. Para encontrar algo parecido en las naciones "desarrolladas" habría que acudir a los verdaderos héroes populares: los cantantes, las bailarinas, las actrices, los exploradores del espacio.

El ocaso de los caudillos y el de los revolucionarios con programas geométricos podría ser el anuncio de un renacimiento de los movimientos libertarios y anarquistas. No lo es: somos testigos de la decadencia de los sistemas y del crepúsculo de los tiranos, no de la aparición de un nuevo pensamiento crítico. Abundan los inconformes y los rebeldes, pero esa rebelión, tal vez por una instintiva y legítima desconfianza hacia las ideas, es sentimental y pasional; no es un juicio sobre la sociedad sino una negación; no es una acción continua sino un estallido y, después, un pasivo ponerse al margen. Además, los rebeldes se reclutan hoy entre las minorías; los intelectuales y los estudiantes, no los obreros ni las masas populares, son los que protestan en los Estados Unidos contra la guerra en Vietnam. La rebeldía es el privilegio de los grupos que gozan de algo que la sociedad industrial aún no ha podido (o querido) dar a todos: el ocio y la cultura. La nueva rebeldía no es proletaria ni popular y esta característica es un indicio más de la progresiva desvalorización de dos vocablos que acompañaron a la palabra revolución en su ascenso y en su lenta caída: pueblo y clase. Asociado a la Revolución Francesa, el primero fue una noción romántica que encendió los espíritus en el siglo XIX. El marxismo sustituyó esta palabra por un concepto que parecía más exacto: las clases. Ahora éstas tienden a transformarse en sectores: el público y el privado, el industrial y el agrícola, los sindicatos y las corporaciones. En lugar de una imagen dinámica de la sociedad como una totalidad contradictoria, los sociólogos y los economistas nos ofrecen una clasificación de los hombres por sus ocupaciones.

EL RATÓN DEL CAMPO Y EL DE LA CIUDAD

El marxismo nos enseñó que la sociedad moderna se define por la contradicción entre capital y trabajo, burgueses y proletarios. Sin negar que la sociedad es contradictoria, François Perroux elabora una clasificación que le parece corresponder mejor a la índole de la era industrial: señores y servidores de las máquinas. Los señores no son siempre los propietarios sino los administradores, los técnicos, los gerentes y los expertos. Esta clasificación ofrece la ventaja de englobar formas de explotación no-capitalista que Marx no había previsto, tales como la del régimen soviético. Al mismo tiempo, desaparece la visión marxista de una historia polémica, no sin analogías con la tragedia clásica aunque con la diferencia de que el Prometeo proletario vencía al fin a los dioses e inauguraba el reinado de la libertad sobre la necesidad. En lugar de las clases, las funciones; en lugar de la Némesis de la historia, el concepto de *diálogo social*, que "se despliega con una lógica propia, diferente a la de la lucha". Debemos a Raymond Aron un concepto que ha hecho fortuna: la definición de los países desarrollados, cualquiera que sea su régimen social, como sociedades industriales. Aron no ignora ni disminuye las profundas diferencias entre las sociedades del oeste y las del este europeo, pero afirma, con razón, que en unas y otras lo determinante no son tanto los sistemas políticos como la función de la ciencia y la técnica en los modos de producción. Así, Aron propone que llamemos a este conjunto de naciones y pueblos: "la civilización industrial".

Todas estas concepciones tienen un rasgo en común: desplazan las antiguas dicotomías —clases, filosofías, civilizaciones— por una imagen de la sociedad como un conjunto de ecuaciones. Para los antiguos la sociedad humana era una suerte de metáfora del cuerpo, un animal superior (*the social body* de la filosofía política de los sajones); para Michelet la historia era poesía épica; para Marx y Nietzsche una representación teatral o, más exactamente, esa región donde el teatro cesa de ser representación y encarna en la vida y la muerte de los hombres y las sociedades. Hoy los arquetipos no son ni la biología ni el teatro sino la teoría de la comunicación. Inspirados por las matemáticas y la lógica combinatoria, nuestra visión es formal: no nos interesa saber qué dicen los mensajes ni quién los dice sino cómo se dicen, la forma en que se trasmiten y reciben. Aron escribe: "Sería vano buscar un espíritu común entre el gerente de una empresa angloamericana y el director de un trust soviético... pero a medida que las economías se industrializan uno y otro deben *calcular* los gastos y las entradas, prever una *duración* —ciclo de producción— y traducir todos estos datos en *cantidades* comparables..." El carácter único del fenómeno, la significación del mensaje, cede el sitio a la noción formal y cuantitativa. La sociedad industrial utiliza los instrumentos que le proporciona la ciencia y sus métodos no son distintos a los del laboratorio. Por tanto, son los medios, no los fines ni la orientación de cada sociedad, lo que cuenta. La historia como pasión se evapora.

La noción de clase no ha tenido mejor suerte entre los regímenes que dicen ser marxistas. La concepción de proletariado como una clase universal es central en el marxismo y sin ella toda la teoría se derrumba: sin clase universal no hay ni revolución mundial ni sociedad socialista internacional. Esta idea ha sido quebrantada de dos maneras por los herederos de Marx. La primera rectificación surgió en Yugoslavia y ahora se ha convertido en doctrina casi oficial de todos los comunistas. Consiste en afirmar que cada nación debe llegar al socialismo por su propio camino y por sus propios medios. Marx había subrayado que el internacionalismo proletario no era una idea filosófica como el cosmopolitismo de los estoicos, sino la consecuencia de una realidad social: la relación entre el obrero y los medios de producción. El proletario, a diferencia del artesano, no sólo no es dueño de su trabajo ni de sus utensilios de producción sino que ve reducido su ser a la categoría de "fuerza abstracta de trabajo". Sufre así el mismo proceso de cuantificación que los otros medios de producción. Como la electricidad, el carbón o el petróleo, el obrero no tiene patria ni color local. El desarraigo es su condición y su única tradición es la lucha que lo liga a los otros desarraigados, los demás proletarios. La nueva interpretación representa una inversión radical de la idea de Marx: la nebulosa idea de nación —creación típica de la burguesía— se vuelve predominante y es inclusive la vía hacia el socialismo.

Marx esperaba que el proletariado destruiría las fronteras; sus herederos le han devuelto respetabilidad al nacionalismo.

La otra modificación no consiste en supeditar el internacionalismo proletario al nacionalismo sino en extender ese internacionalismo a otras clases. Es la tesis de los chinos: la lucha del campo contra la ciudad es la estrategia mundial de la revolución, la forma en que se manifiesta la lucha de clases en la segunda mitad de nuestro siglo. Marx pensaba que sería la clase obrera, una vez en el poder, la que disolvería la oposición entre el campo y la ciudad; Mao Tse-tung postula precisamente lo contrario. Esta idea, exacta o no, es antimarxista y habría escandalizado por igual a Lenin y a Rosa Luxemburgo, a Trotski y al mismísimo Stalin. La universalidad de la clase obrera no es cuantitativa (no era la clase más numerosa en la época de Marx y no lo ha sido nunca) sino que es consecuencia de su posición histórica: es la clase más avanzada. Hija de la industria y de la ciencia, es el producto social humano más reciente, la clase que hereda todas las conquistas de la burguesía y de las otras clases que precedieron a esta última en la dominación. Por tal razón representa el interés común y general: "la clase revolucionaria... no se presenta como una clase sino como el representante de toda la sociedad, aparece como la masa total de la sociedad frente a la clase dominante".* Del mismo modo que la burguesía destruyó el estrecho particularismo feudal y edificó el Estado nacional, el proletariado rompe el nacionalismo burgués y establece la sociedad internacional. Los campesinos y los obreros son aliados naturales por ser las clases más oprimidas y más numerosas, pero esta identidad de intereses no anula sus diferencias: los campesinos son la clase más antigua, los obreros la más reciente; los primeros son una supervivencia de la era preindustrial y los segundos los fundadores de una nueva época. Marx nunca creyó en una revolución comu-

* Marx y Engels: *La ideología alemana* (1845).

nista de los campesinos. Al final de su vida, en 1870, decía en una carta a Kugelmann: "Sólo Inglaterra puede servir de palanca para una revolución seriamente económica. Es el único país en donde ya no hay campesinos." Antes había dicho: "Un movimiento comunista no puede partir nunca del campo" (*La ideología alemana*). La relación de cada clase con la industria, es decir, con la forma más acabada y perfecta del sistema de producción de nuestra época, define su función histórica. La del campesino es pasiva: sufre la acción de la máquina como consumidora de materia prima y de productos naturales y de ahí que su negatividad sea inoperante. Atado a la tierra, el labrador puede rebelarse, pero su rebelión es local o, a lo sumo, nacional. Si la universalidad es la industria, la relación de la burguesía con ésta es contradictoria: la industria es internacional y la burguesía nacional; la primera es social y la segunda privada. El proletariado resuelve esta contradicción porque, como la industria, es internacional y, como ella, socializa los productos.

Todo esto es archisabido. Lo recuerdo no porque piense que Marx tenía razón en todo y acerca de todo, sino porque es bueno enfrentar sus palabras a las de aquellos que se llaman sus discípulos ortodoxos y esgrimen contra sus oponentes el anatema del "revisionismo". Es claro que el proletariado no ha desempeñado la función revolucionaria internacional que Marx le había asignado. Sin embargo, toda la teoría marxista gira en torno de esta idea y de ahí que ninguno de sus herederos la haya puesto en duda. Lenin pensó que la lucha independentista de los países coloniales y semicoloniales, especialmente los asiáticos, agravaría la situación de los países imperialistas y disiparía "la atmósfera de ficticia paz social" imperante en esos países, gracias a las concesiones que la burguesía victoriosa de la primera guerra mundial había hecho a las masas oprimidas, "a expensas de los países vencidos y de los pueblos coloniales". Esa lucha "culminaría en una crisis total del capitalismo mundial". Así pues, para Lenin el eje seguía siendo la clase obrera y la revolución era inseparable de una crisis del capitalismo. Trotski fue aún más explícito y en 1939 decía que la segunda guerra mundial provocaría "una revolución proletaria en los países adelantados que, inevitablemente, se extenderá a la Unión Soviética, destruirá la burocracia y llevará a cabo la regeneración de la revolución de octubre... No obstante, si la guerra no se resolviese en una revolución proletaria —o si la clase obrera tomase el poder y fuese incapaz de conservarlo y lo entregase a una burocracia— tendríamos que reconocer que las esperanzas del marxismo en el proletariado se han revelado falsas". Rosa Luxemburgo, que fue uno de los primeros en señalar la importancia del mundo "subdesarrollado" en la evolución de la historia contemporánea, no pensaba, en lo esencial y sobre este punto, de una manera distinta.

EL CANAL Y LOS SIGNOS

Marx redujo las ideas a reflejos del modo de producción y de la lucha de clases; Nietzsche a ilusiones sin realidad real, máscaras que la voluntad de poder desgarra para mostrar que detrás de ellas no hay nada; Freud las describió como sublimaciones del inconsciente. Ahora Mr. Marshall McLuhan las convierte en productos derivados de los medios de comunicación. McLuhan es un escritor de talento y al escribir su nombre a continuación de los de Marx, Nietzsche y Freud no pretendo aplastarlo con el necio argumento de la autoridad. Lo cito, en primer término, porque sus ideas son un ejemplo de la suerte que han corrido las de estos tres precursores y críticos de la civilización moderna. McLuhan es un autor de moda, como Spengler hace 40 años. Hay que agregar que, aunque no es un reaccionario como el filósofo alemán, carece de su genio sombrío. McLuhan ha tomado de Spengler la idea de que la técnica es una extensión del cuerpo, pero en tanto que para el segundo la mano es una garra, para el primero es un signo: uno es el profeta del Argamedón y el otro de Madison Avenue. Los escritos de McLuhan son ricos en paradojas y afirmaciones estimulantes, las primeras casi siempre ingeniosas y las segundas no pocas veces exactas. Puede molestarnos el tono enfático, el gusto inmoderado por las citas y la volubilidad intelectual, pero estos vicios retóricos son de su país y de nuestra época: McLuhan es un escritor típico de su medio y de su tiempo. Por tal razón es sintomático o, más bien, significativo, que el tema central de sus escritos sea precisamente el de la significación.

Los puntos de vista de McLuhan son una exageración y una simplificación de lo que han dicho, entre otros, Peirce, Wittgenstein, Heidegger y Lévi-Strauss. Me apresuro a aclarar que estos autores en nada se parecen entre ellos —en nada, excepto en esto: los cuatro conciben la realidad como un tejido de significaciones y afirman que el significado último de este conjunto de significados o no existe o es indecible. Para unos hay un más allá del lenguaje al que sólo puede aludir el silencio (Wittgenstein) y tal vez la poesía (Heidegger); para los otros estamos encerrados en una malla de lenguaje a un tiempo transparente e irrompible (Peirce: "el significado de un símbolo es otro símbolo") o somos apenas un eslabón de esa malla, un signo, un momento del mensaje que la naturaleza se dice a sí misma (Lévi-Strauss: "los mitos se comunican entre ellos a través de los hombres y sin que éstos se den cuenta"). McLuhan reduce estas ideas al nivel de la industria de la publicidad: el mensaje depende del medio de comunicación y si éste cambia, los significados también cambian o desaparecen.

Es indudable que hay decisivas diferencias entre participar en un diálogo platónico y la lectura en alta voz de *El banquete* ante un auditorio, entre leer a solas la *Crítica de la razón pura* y contemplar en la pantalla de la televisión el debate de un grupo de profesores sobre el mismo tema. Las diferencias no son únicamente formales: el cambio de forma de comunicación altera el mensaje. En cuanto se pasa del diálogo a la exposición, el sentido mismo de la palabra filosofía se transforma. Nada de esto es nuevo y Max Weber, entre otros, ha hecho brillantes descripciones de la interrelación entre las ideas y las formas sociales. Tampoco es nuevo convertir la técnica en el origen del Logos: Engels alegremente asignaba a la industria la tarea filosófica de acabar con la "cosa en sí" de Kant. Lo que es nuevo es hacer de una rama de la técnica —los medios de comunicación— el motor de la historia. La radio y la televisión sustituyen a la Providencia y a la Economía, al Genio de los pueblos y al Inconsciente. Apenas si vale la pena preguntarse: si los cambios de los medios de comunicación determinan y explican los otros cambios sociales, ¿cómo y quién explica los cambios de los medios de comunicación? Aunque las ideas de McLuhan no resisten a la crítica histórica, es sintomático que la gente las acepte sin parpadear. Se dirá que es un efecto de la publicidad. Si así fuese, McLuhan tendría razón: el significado es idéntico a los medios de comunicación que lo trasmiten. O dicho de manera más simple: la exactitud de mis afirmaciones sobre la publicidad es la publicidad de mis afirmaciones. *The medium is the message.* Ésta es la manera de razonar que impera en nuestros días. Todos dicen que los antiguos significados han desaparecido. Es cierto, sólo que no basta con afirmar "creo (o no creo) en Dios"; hay que demostrar su existencia (o su inexistencia). Esto es lo que no hace McLuhan. Se ahorra todo razonamiento porque juzga que no es necesario demostrar y que es suficiente con mostrar. De acuerdo, pero ¿qué muestra?

La conocida distinción de Saussure entre significante y significado, característica dual de todos los signos, quizá puede despejar la confusión. McLuhan comienza por identificar el mensaje con el medio de comunicación y así convierte a este último en signo, ya que todo mensaje está compuesto por signos. Para McLuhan los medios son significantes, sólo que su significado se reduce a esta estupenda redundancia: los medios de comunicación son los medios de comunicación. Un ejemplo hará más clara mi observación. En una de las primeras páginas de *Understanding media* dice: "el contenido de todo medio es otro medio. El contenido de la escritura es la palabra hablada, del mismo modo que el contenido de la palabra impresa es la escrita y la impresa el contenido de la telegráfica". Este párrafo, aparte de ser una parodia de la frase de Peirce citada más arriba, introduce varias confusiones. La primera consiste en hablar de contenido y forma al referirse a los fenómenos de comunicación. Es evidente que el contenido de una jarra puede ser agua, vino o cualquier otro líquido, pero una jarra no se define por su contenido sino por su función y, más exactamente, por su significado: una jarra es un utensilio que sirve para contener sustancias, generalmente líquidas. Lo mismo sucede con los medios de comunicación: la escritura "contiene" palabras pero asimismo puede contener números, sonidos musicales, etc. En rigor, la escritura no contiene: *significa*. Es un signo visual que remite a otro signo oral: la palabra. Si hemos de ser precisos, hay que decir que los medios de comunicación —radio, televisión— no tienen contenido, están siempre vacíos: son conductos trasmisores, canales por donde fluyen los signos. Estos últimos, a su vez, son como cápsulas que contienen a los significados. El significante —sonido, letra o cualquier otra marca o señal— dispara su significado si alguien pone en operación el sistema de descarga: la lectura, si se trata de la palabra escrita.

La noción de contenido podría aplicarse con mayor exactitud a los signos que a los canales que los trasmiten. Sin embargo, como la vieja metáfora de la forma y del contenido introduce nuevas y peligrosas confusiones, nadie la emplea. Significante y significado no son idénticos a forma y contenido. La jarra puede contener agua, aceite o vino; el sonido martes significa únicamente el día que vendrá después del lunes y ningún otro día. Naturalmente los significados cambian de acuerdo con la posición de los signos en las frases, pero éste es otro cantar. Diré solamente que la dualidad significante y significado se reproduce en la frase, en el texto y en el discurso. En suma, la escritura no contiene a la palabra: alude a ella, la señala, la significa. Algo idéntico ocurre con el texto impreso, el signo telegráfico y la palabra hablada.

Al decir que los medios son el mensaje, McLuhan afirma que el mensaje no es lo que nosotros decimos sino lo que dicen los medios, a pesar de nosotros o sin que nosotros lo sepamos. Los medios se convierten en significantes y producen, automática y fatalmente, su significado. Esta idea supone que hay una relación natural o inmanente entre el signo y su significado. Es una idea tan antigua como Platón. Pero lo contrario es lo cierto: la relación entre el significante y el significado es convencional, arbitraria. Es, diría, uno de los productos, el más alto, del pacto social. El sonido *pan* en español designa ese alimento que según el Padre Nuestro deberíamos comer todos los días, pero en urdu y en hindustani quiere decir betel. Para nosotros el signo de la cruz es el símbolo del cristianismo; para un maya del siglo v el mismo signo quizá significaba fertilidad o alguna otra idea —o no significaba absolutamente nada. De nuevo, el significado de los signos es el resultado de una convención. Si los medios de comunicación son signos, como afirma McLuhan, su significado debe ser el producto de una convención, explícita o tácita. Por tanto, la clave del significado no está en los medios de comunicación sino en la estructura de la sociedad que ha creado esos medios y los ha vuelto significantes. No son los medios los que significan; la sociedad es la que significa, y nos significa, por ellos y en ellos.

McLuhan no se equivoca al decir que los medios de comunicación también significan, también son mensajes. Es claro que todo medio puede convertirse en signo porque todos los signos son, igualmente, medios. Sólo que hay medios y medios, signos y signos. La palabra es un medio de comunicación y la radio otro. En el caso de la palabra, signo y medio son inseparables: sin el sonido *pan* el significado no se produce. El sonido es el signo por medio del cual el significado aparece. En cambio, las ondas radiofónicas son medios por los cuales aparecen toda clase de signos —inclusive signos no verbales: música, señales de radiotelegrafía, ruidos naturales o artificiales, etc. La relación entre significante y significado es íntima, constitucional, en el caso de la palabra: el primer elemento depende del segundo y a la inversa. En el caso de la radio, por el contrario, no existe esa relación entre significante y significado. O más exactamente, esa relación, según se verá, es insignificante. Cuando McLuhan dice que el medio es el mensaje, en realidad quiere decir que el medio —radio, televisión, etc.— se ha convertido en signo lingüístico; ahora bien, si descomponemos el signo radio en sus dos mitades, significante y significado, encontramos que el primero es *radio* y el segundo... también *radio*. Al llegar a este punto, recordaré lo que ha dicho Jakobson acerca de las funciones lingüísticas. Una de esas funciones consiste en ser un mensaje que tiene por objeto "establecer, prolongar o interrumpir la comunicación, verificar si el circuito funciona". Es una función que practicamos todos los días al usar el teléfono: ¡oiga!, ¿me oye? En la vida diaria es un ritual: los ¿cómo está usted?, ¡qué milagro que lo veo!, ¿eh?, ¡ah!, hum, pst, etc. Entre los primitivos la función "fática" —así la llama Malinowski— ocupa un rango de primer orden, mágico y ceremonial. Jakobson señala que aparece también entre los mirlos, loros y otros pájaros parlanchines. Es la única función lingüística que tienen en común con nosotros. Asimismo, es la primera que conocen los niños al aprender a hablar. Según McLuhan, la era de los medios de comunicación planetaria e interplanetaria es la del regreso a la hermosa tautología del lenguaje animal. Como la de los pájaros, nuestra comunicación tiene por objeto comunicar la comunicación.

En la palabra revolución se conjugaban la espontaneidad de la historia y la universalidad de la razón: era el Logos en movimiento y encarnado entre los hombres. La técnica absorbe todos esos significados y se convierte en el agente activo de la historia. Marx tenía una gran fe en la industria pero creía que las máquinas, por sí solas, carecían de significación; la función de las máquinas le parecía inteligible únicamente dentro del contexto social: ¿quiénes son sus dueños y quiénes las mueven? El hombre impregna de sentido a sus instrumentos. Lévi-Strauss ha mostrado que la invención de la escritura coincide con el nacimiento de los grandes imperios en Mesopotamia y en Egipto: la escritura fue el monopolio de las burocracias eclesiásticas y durante siglos fue un instrumento de opresión. En manos de la burguesía, la imprenta acabó con el monopolio clerical del saber y arruinó para siempre el carácter sagrado, por secreto, de la escritura. Así pues, el significado de la escritura y el de la imprenta dependen del contexto social: es la sociedad la que les otorga significación y no a la inversa. En la primera mitad del siglo muchos escritores de todas las tendencias publicaron libros sobre la técnica de la revolución; hoy se publican todos los días libros y artículos sobre la revolución de la técnica. Sería absurdo negar que la técnica —o más exactamente: las técnicas— nos cambia; igualmente lo sería ignorar que toda técnica es el producto de una sociedad y de unos hombres concretos. No me interesa destacar la importancia innegable de la técnica en el mundo moderno; todos, hasta los niños de escuela, sabemos y repetimos que las dos grandes revoluciones en la historia humana han sido la del neolítico y la de la industria y que en el seno de esta última se opera ahora una nueva revolución: la electrónica. Lo que deseo subrayar es la superstición por la *idea* de la técnica. Esta idea es un mito no menos poderoso que el de la razón o el de la revolución, con la diferencia de que es un mito nihilista: no significa, no postula ni niega valores. Los antiguos sistemas, del cristianismo al marxismo, eran simultáneamente una crítica de la realidad y una imagen de otra realidad. Así, eran una visión del mundo. La técnica, según he tratado de mostrar en otro ensayo (*Los signos en rotación*, 1965), no es una imagen del mundo sino una operación sobre la realidad. El nihilismo de la técnica no consiste únicamente en ser la expresión más acabada de la voluntad de poder, como piensa Heidegger, sino en que carece de significación. El *¿para qué?* y el *¿por qué?* son preguntas que la técnica no se hace. No es ella, por lo demás, la que tendría que hacérselas sino nosotros.

HARTAZGO Y NÁUSEA

El culto a la idea de la técnica implica la desvalorización de todas las otras ideas. El fenómeno es particularmente visible en el campo del arte. La nueva vanguardia elude cualquier justificación racional o filosófica. Dadá se presentó como una rebelión metafísica. La literatura teórica del futurismo italiano fue la porción más significativa de ese movimiento. El pensamiento del surrealismo, crítico y utópico, fue tan importante como las creaciones de sus poetas y pintores. Hoy la mayoría de los artistas prefiere el acto al programa, el gesto a la obra. Mayakovski exaltó la técnica, Lawrence la denunció; los nuevos no critican ni elogian: manipulan los aparatos y artefactos modernos. Ayer la rebelión fue un grito o un silencio; ahora es un alzarse de hombros: el *porque sí* como razón de ser. El viejo sueño de la poesía, desde los románticos hasta los surrealistas, fue la fusión de los contrarios, la metamorfosis de un objeto en su opuesto. La creación y la destrucción eran los polos de una misma energía vital y la tensión entre ambos alimentó el arte moderno. El expresionismo hizo de la fealdad una nueva belleza y de lo horrible una forma paradójica de lo sublime; prolongó así una tendencia de nuestra tradición: "feo hermosamente el rostro", dice el poeta barroco al aludir a Cristo en la cruz. La nueva estética es la indiferencia. No la metáfora: la yuxtaposición, que crea una suerte de neutralidad entre los elementos del cuadro o del poema. Ni arte ni anti-arte: no-arte. La boga misma del erotismo es sospechosa: oscila entre la promiscuidad y la impotencia. La partícula *a* reina sobre el hombre y su lenguaje.

El cambio de posiciones en el triángulo verbal —de la revuelta a la revolución y de ésta a la rebelión— parece señalar un cambio de orientación: tránsito de la utopía al mito, fin del tiempo rectilíneo y comienzo del cíclico. Los signos son engañosos. En Occidente y en los países "desarrollados" se vive un interregno: nada ha sustituido a los antiguos principios, a la fe o a la razón. El apogeo del rebelde, y el carácter ambiguo de su rebelión, delatan precisamente que estamos ante una ausencia. Son los signos de una carencia. Cualquiera que sea la sociedad a que pertenezca, el rebelde es un ser al margen: si deja de serlo, cesa de ser rebelde. Por eso no puede ser guía ni oriente. Es el combatiente solitario, la minoría disidente, la separación y la excepción. La sociedad industrial ha perdido su centro y de ahí que se busque en las afueras: intenta hacer de la excepción la regla. El tiempo rectilíneo la arrancó de su origen y literalmente la desarraigó; perdió su fundamento, ese principio *anterior* que es la justificación del presente y del futuro, la razón de ser de toda comunidad. Cortada del pasado y lanzada hacia un futuro siempre inasible, vive al día: no puede volver a sus principios y, así, recobrar sus poderes de renovación. Su abundancia material e intelectual no logra ocultar su pobreza esencial: es dueña de lo superfluo pero carece de lo esencial. El ser se le ha ido por un agujero sin fondo: el tiempo, que ha perdido su antigua consistencia. El vacío se revela como desorientación y ésta como movimiento. Es un movimiento que, por carecer de dirección, es semejante a una inmovilidad frenética.

En la ausencia de regla, la excepción se convierte en regla: entronización del rebelde, tentativa por hacer del excéntrico el centro. Pero apenas la excepción se generaliza, una nueva debe remplazarla. Es la moda aplicada a las ideas, la moral, el arte y las costumbres. La necesidad angustiosa de apropiarse de cada nueva excepción —para en seguida asimilarla, castrarla y desecharla— explica la benevolencia de los poderes constituidos, especialmente en los Estados Unidos, ante la nueva rebeldía. Al nihilismo satisfecho de los poderosos corresponde el nihilismo ambiguo de los artistas rebeldes. El destino del rebelde era la derrota o la sumisión. La primera es casi imposible ahora: los poderes sociales aceptan todas las rebeliones, no sin antes cortarles las uñas y las garras. No creo que la rebeldía sea el valor central del arte, pero me apena la simulación o la utilización astuta de uno de los impulsos más generosos del hombre. Es difícil resignarse a la degradación de la palabra *No*, convertida en llave o ganzúa para forzar las puertas de la fama y del dinero. No acuso a los artistas de mala fe; señalo que, como dice el crítico inglés Alvarez, "en Nueva York y en Londres lo difícil es fracasar... el poeta y el artista se enfrentan hoy a una audiencia devota, tolerante e imperturbable, que premia los vituperios más apasionados con aplausos y plata contante y sonante". La exaltación del rebelde es una manera de domesticarlo. El antiguo rebelde era parte de un ciclo inmutable. Rueda del orden cósmico, gloria y castigo eran el verso y reverso de su destino: Prometeo y Luzbel, la filantropía y la conciencia. El rebelde moderno es el disparo de una sociedad en expansión horizontal: el cohete un instante luminoso y después opaco. Renombre y oscuridad: la exaltación termina en la neutralización. Es un rebelde que ignora la mitad de su destino, el castigo; por eso difícilmente accede a la otra mitad: la conciencia.

La historia de la rebeldía moderna no se reduce, claro está, a la de su asimilación por las instituciones. Lo milagroso es que en una sociedad que ha dado a las mayorías un bienestar inimaginable hace treinta o cuarenta años, la casta más favorecida, la juventud, se rebele de una manera espontánea. No es la rebelión de los desposeídos sino la protesta de los satisfechos —la protesta contra la satisfacción. No han faltado pedagogos que se lamenten de la desorientación de los jóvenes. Olvidan que el fenómeno es universal, sólo que la actitud juvenil es lúcida en tanto que los viejos creen (o pretenden) saber hacia dónde van: ceguera y, con más frecuencia, hipocresía. Además, la sociedad industrial muestra que la abundancia no es menos inhumana que la pobreza. Los monstruos del progreso rivalizan con los de la miseria. El espectáculo de los leprosos, las viudas y los mendigos de Benares es menos degradante que el hacinamiento de carne humana en las playas del Mediterráneo o en Coney Island. La abyección del hartazgo sobrepasa a la de la privación... Se necesita cierto cinismo para decir que la rebelión juvenil es ilógica. En efecto, lo es. Para la mayoría de nuestros contemporáneos la razón ya no es el Logos, el principio del principio, sino el sinónimo de la eficacia: no es coherencia ni armonía sino poder; para la minoría, los hombres de ciencia y los filósofos, la razón se ha convertido en una manera de relacionar y combinar mensajes, una operación indistinguible de las que realizan las células y sus ácidos. Por todo esto, es natural que la rebelión de los jóvenes no se funde, como las anteriores, en sistemas más o menos coherentes; es el resultado de algo más elemental: el asco. En los Estados Unidos y en Occidente las ideas se han evaporado y en los países socialistas las utopías han sido manchadas por los césares revolucionarios.

Los antiguos antagonismos oponían unas a otras las razas, las naciones y las creencias. Los hombres se mataban porque su vecino rezaba en árabe y no en latín, hablaba inglés y no francés, era negro o creía en la propiedad colectiva. Hoy no son las clases sino las edades las que se afrontan. Tocqueville se lamentaba de que en su siglo fuesen los intereses y no las ideas los que unían y dividían a los hombres. Si la rebeldía contemporánea ignora a las ideas, muestra también una espléndida indiferencia hacia los intereses: los muchachos no piden más y su gesto no es siquiera de combate sino de renuncia. Aunque todas las épocas han conocido la querella de las generaciones, ninguna la había experimentado con la violencia de la nuestra. El muro que separaba a un capitalista de un comunista, a un cristiano de un ateo, ahora se interpone entre un hombre de cincuenta años y otro de veinte. Al nivelar o dulcificar las diferencias sociales, la sociedad industrial ha exasperado las biológicas. Si la técnica y su consecuencia, la abundancia, han hecho de las naciones desarrolladas un mundo más o menos homogéneo, en cambio han envenenado las relaciones entre padres e hijos. El asesinato ritual del padre por los hijos puede ser una fantasía antropológica de Freud, pero es una realidad psicológica de la era industrial.

Al escribir el párrafo anterior quizá me dejé llevar por ideas y sentimientos que también se han desvanecido; los jóvenes no odian ni desean: aspiran a la indiferencia. Ése es el valor supremo. El nirvana regresa. Por supuesto, no se trata de un budismo a la occidental. Lo que quiero señalar es una analogía histórica: también las doctrinas de Buda y del Mahavira nacieron en un momento de gran prosperidad social y las ideas de ambos reformadores fueron adoptadas con entusiasmo no por los pobres sino por la clase de los mercaderes. La religión de la renuncia a la vida fue una creación de una sociedad cosmopolita y que conocía el desahogo y el lujo. Otra semejanza: según ya dije en otra parte del libro, la nueva rebeldía, como el budismo, pone en tela de juicio el lenguaje y desvaloriza la comunicación. A mí esto me maravilla. Es un signo de sabiduría inconsciente: en la época de la electrónica, los muchachos escogen el silencio como la forma más alta de expresión. Es algo que debería hacer reflexionar a los que se extasían ante la segunda revolución tecnológica, "los computers" y los nuevos medios de comunicación.

La diferencia entre la actitud de los jóvenes y la del budismo es que éste se funda en una crítica racional y la rebeldía juvenil es instintiva. La primera es un juicio: el mundo es irreal; la segunda es una reacción casi física de repulsa: yo no quiero ser parte de este mundo que ha inventado los campos de concentración y ha arrojado bombas atómicas sobre el Japón. El budismo es un discurso que culmina en un silencio; la nueva rebeldía comienza en silencio y se disipa en grito. Los sutras budistas son notables por su enorme extensión y por su coherencia. A estas características intelectuales corresponde, en la vida práctica, una estricta disciplina monástica que exalta, entre otras virtudes, la perseverancia y la paciencia. Por el contrario, la expresión más perfecta y viva del espíritu de nuestra época, tanto en la filosofía como en la literatura y las artes, es el fragmento. Las grandes obras de nuestro tiempo no son bloques compactos sino totalidades de fragmentos, construcciones siempre en movimiento por la misma ley de oposición complementaria que rige a las partículas en la física y en la lingüística. El equivalente vital del fragmento es el acto aislado y espontáneo: el *happening,* la manifestación de protesta, la unión y dispersión de los grupos en plazas públicas, playas y otros sitios de peregrinación. En la Navidad de 1966 se reunieron varios cientos de muchachos europeos y americanos en Katmandú; casi todos, ellos y ellas, habían hecho el viaje por cortas etapas, solos o en pequeños grupos, a veces a pie y otras en autobuses y camiones. Este amor por el vagabundeo revela un parecido que no hay más remedio que llamar turbador: la nueva rebeldía exalta, como el budismo, al hombre errante, al desarraigado. No es un nomadismo: el nómada viaja con su casa, sus bienes y su familia. El peregrino abandona su mundo y su errar por calles, ciudades y despoblados es una renuncia. Tal vez la actitud de los jóvenes rebeldes de Occidente es el anuncio de una nueva peregrinación. ¿Hacia dónde?

En la segunda mitad del siglo XX la única internacional activa es la de los jóvenes. Es una internacional sin programa y sin dirigentes. Es fluida, amorfa y universal. La rebelión juvenil y la emancipación de la mujer son quizá las dos grandes transformaciones de nuestra época. La segunda es sin duda más importante y duradera. Es un cambio comparable al del neolítico; este último alteró radicalmente nuestra relación con la naturaleza y el primero modificará no menos profundamente las relaciones sexuales de los hombres, la familia y los sentimientos individuales. Rimbaud decía que deberíamos "reinventar el amor"; tal vez sea ésa la misión de la mujer en nuestro tiempo. La rebelión juvenil es un epifenómeno. Lo es por dos razones. En primer término, por su naturaleza misma: toda rebelión depende del sistema contra el que se rebela, ya que no se propone la creación de un orden nuevo sino que es la protesta contra el imperante. Hay una cierta complicidad entre el déspota y el rebelde: son figuras complementarias. En segundo término, al disminuir las tensiones entre clase y clase o entre nación y nación, la sociedad industrial no ha destruido la contradicción que, desde su origen, la caracteriza: solamente la ha expulsado. Ahora la contradicción no está *dentro* sino *fuera*: no es el proletariado sino los países "subdesarrollados". En consecuencia, debe distinguirse entre la *rebelión* en el interior y la *revuelta* del exterior. La primera es una prueba de salud; una sociedad que se examina, se niega y absorbe sus negaciones, es una sociedad en movimiento. La segunda representa una contradicción hasta ahora insuperable. Es la Contradicción, la otra cara de la realidad.

En los países de Occidente la sociedad de la abundancia obliga a los hombres a consumir sin respiro nuevos objetos y productos. Al mismo tiempo, los consumidores deben renunciar a sus deseos más íntimos y a sus sueños más profundos. Sobrealimentación + castración = sociedad de los satisfechos. Es natural, por tanto, que la rebelión de los muchachos oponga a las antiguas utopías geométricas, el valor único e irremplazable de la vida concreta. No se trata de construir la ciudad perfecta sino de preservar la vida propia, la energía del deseo que despliega su interrogación maravillosa aquí y ahora mismo: el enigma frágil como la mariposa —el enigma terrible, alado y con garras. La rebelión contra la abundancia enlatada y la felicidad manufacturada es igualmente rebelión contra la idea de revolución. El futuro ha perdido su seducción: lo que cuenta es el acto instantáneo, la ruptura del orden abstracto que impone la industria. En las naciones del este europeo la rebelión contra la ortodoxia revolucionaria asume dos formas: la revisión y la profanación. La primera predomina en Yugoslavia, Polonia, Hungría y Checoslovaquia, es decir, ahí donde lo permiten las condiciones objetivas, la tradición histórica y la relativa liberalidad de los regímenes. Es un movimiento de gran envergadura intelectual, si ha de juzgarse por los libros y ensayos de Kolakowski, Kott y otros más. Una verdadera resurrección del espíritu crítico, que quizá está destinada a renovar el pensamiento revolucionario. Es un examen de conciencia que no puede confundirse con esas variaciones apologéticas sobre el marxismo a que nos tienen acostumbrados los intelectuales de izquierda en Occidente. Ojalá que su suerte no sea la del arte y el pensamiento revolucionario de Rusia, ahogados al finalizar la década de 1920... La profanación se manifiesta con singular violencia en el arte: poemas, novelas, sátiras, memorias. Al principio los escritores denunciaron los horrores del período staliniano pero poco a poco esa denuncia se ha extendido al presente. No se trata de un nuevo episodio de la "guerra fría". Esos artistas no son agentes, conscientes o inconscientes, de una conspiración del CIA. La mayoría no ve en el mundo de Occidente una respuesta a sus preguntas ni un arquetipo digno de imitación: se acabaron los paraísos. La civilización industrial, en sus dos vertientes: la capitalista y la comunista, ha logrado la unanimidad en la reprobación. En un poema reciente Voznessenski llama "hermano" al poeta católico Robert Lowell. Otro rasgo digno de señalarse: en los países de Europa oriental y occidental, la crítica es intelectual, filosófica o política; en Rusia no es ideológica: es una reacción vital, una insurrección de la vida particular contra la abstracción de las ideologías. En esto, como en tantas otras cosas, la actitud de los rusos es semejante a la de los angloamericanos: ni Robert Lowell ni Voznessenski ponen en duda los principios que fundan a sus respectivas sociedades sino la realidad en que se han convertido esos principios. En las dos sociedades más poderosas del mundo industrial, la idea de revolución ha desaparecido casi completamente y su lugar lo ocupan la protesta reformista y la rebelión individual.

La profanación se expresa también como indiferencia. Según es público y sabido, en la Unión Soviética y en los países europeos del este, la juventud muestra una repugnancia instintiva por todo debate intelectual sobre el marxismo. Los cursos sobre el materialismo dialéctico en las universidades son vistos con el mismo horror con que los muchachos, en México, ven las lecciones de "civismo" y en los colegios de curas las de "catecismo". No es que el marxismo les parezca falso: les parece aburrido. Tampoco sienten la necesidad de criticarlo; se ha convertido en una creencia y a las creencias no las refuta la razón sino la práctica, la vida misma. Hasta hace poco la historia del marxismo podía condensarse en esta frase: de la crítica a la teología. El nuevo capítulo podría llamarse: de la teología al rito. En los países socialistas de Europa el marxismo ya no es la verdad revelada sino la creencia heredada.

La situación en China es distinta. Ahí la rebelión se expresa como vuelta a los orígenes del comunismo. Es una rebelión paradójica y contradictoria. Es paradójica porque es una rebelión dentro de la revolución: los guardias rojos se llaman a sí mismos "rebeldes revolucionarios". Es contradictoria porque los jóvenes se alzan contra los viejos y los maltratan en nombre de otro viejo: Mao Tse-tung. El "culto de la personalidad" y la rebelión son realidades incompatibles... Lo que ocurre en China tiene un aire irreal, como si de nuevo la historia volviese a ser teatro. Sólo que ahora asistimos a una representación de teatro oriental, con una lógica dramática distinta a la de Occidente; no tragedia ni comedia sino historia contada, cantada y bailada. Pantomima épica. Los muchachos empuñan el famoso cuadernillo rojo de Mao a la manera de esos bastones que enarbolan los bailarines en los ballets y recitan el texto como quien profiere una fórmula en una danza ceremonial de guerra.

Según parece, la "revolución cultural" (otro marbete mágico) tiene por objeto romper el monopolio de poder de la burocracia del Partido Comunista. La rebelión de los guardias rojos es una tentativa por devolver al régimen su carácter popular y revolucionario. Nada más alentador y necesario. En este sentido, el movimiento podría aparecer como un saludable retorno a Rosa Luxemburgo y a su doctrina de la "espontaneidad revolucionaria" de las masas. Por supuesto, los dirigentes de la "revolución cultural" se han cuidado de mencionar el nombre de Rosa Luxemburgo y afirman que el movimiento es un regreso al espíritu de la Comuna de París. La razón es clara: la teoría de la "espontaneidad revolucionaria" tiene una coloración francamente antileninista. En su tiempo fue la crítica más lúcida y profética de los peligros de la concepción de Lenin sobre el Partido Comunista como una asociación cerrada de profesionales de la revolución. Por otra parte, no veo cómo, sin una organización centralizada y sin una burocracia poderosa, podrá llevarse a cabo la industrialización de China. El desarrollo industrial exige lo que se llama la "acumulación de capital". La acumulación puede ser privada o estatal, capitalista o socialista. En el primer caso, exige una economía de mercado, esto es, de lucro; en el segundo, una administración que "retire" a los productores obreros y campesinos una parte del valor de su trabajo para crear el capital estatal o colectivo. Así pues, la lucha contra la burocracia comunista no tendrá por resultado sino fortalecer a otro grupo, probablemente el ejército. La función de los militares, o de cualquier otro sector, no será distinta a la de la burocracia soviética. La experiencia de China confirma la de Rusia: el verdadero socialismo es una consecuencia de la abundancia y no un método para crearla. Por lo menos en este punto Marx tenía razón: la sociedad igualitaria se funda en el desarrollo y toda economía de escasez engendra opresión y regimentación, ya sea capitalista o burocrática.

(El tema de la capitalización tiene para nosotros, los que pertenecemos al mundo de los "subdesarrollados", una importancia particular. No es un tema económico únicamente: en nombre de la industrialización se han infligido sufrimientos sin cuento a los hombres. De ahí que me atreva a una pequeña digresión. La necesidad del ahorro es inescapable porque la acumulación de capital es la condición del desarrollo. Los préstamos del exterior en ningún caso pueden sustituir al ahorro interno; y más: esos préstamos casi siempre son hipotecas ruinosas, tanto en lo político como en lo económico. Pero la acumulación de capital no implica fatalmente que los productores y trabajadores tengan que ser objeto de una explotación inicua, tal como ocurrió en la etapa inicial del capitalismo y en los años de la industrialización a marchas forzadas de Rusia. La técnica moderna permite no sólo un desarrollo más rápido sino menos cruel e inhumano. Al mismo tiempo, la existencia de un sindicalismo libre puede limitar, como lo ha hecho en Occidente, los excesos de los empresarios privados y del Estado. El problema no es fundamentalmente distinto en los países de economía estatal. Una apreciación más equilibrada del período staliniano debería tener en cuenta tres factores: la burocracia y las otras capas superiores —Ejército, técnicos, "inteligencia"— encargadas de la dirección de la industrialización y beneficiarias de grandes privilegios durante la etapa de "acumulación primitiva del capital"; el régimen policiaco en que degeneró el sistema de partido inventado por Lenin [fue concebido como una agrupación de revolucionarios profesionales y no como un cuerpo de administradores]; y los crímenes personales de Stalin y de sus allegados. Los dos últimos factores no son esenciales para el desarrollo. El primero, en cambio, es una condición *sine qua non* en una economía que no sea de mercado. Pero del mismo modo que el sindicalismo restablece un tanto la balanza entre empresarios y proletarios en los países de economía privada, la experiencia de Yugoslavia muestra que los consejos obreros pueden ejercer una función semejante en los regímenes de economía estatal. Como todo cambio en la esfera de la economía repercute en la de la política, la gestión obrera ha llevado al gobierno de Tito a dar otro paso: una reforma política que, probablemente, no tardará en desembocar en un sistema de partidos. No podía ser de otro modo, pues la función de la burocracia del Partido Comunista pierde su razón de ser: son los obreros mismos, o sus representantes, los que administran la producción. La influencia del Estado no desaparece pero se reduce, como en la mayoría de las naciones, a las funciones de orientación, control y vigilancia. Se restablece así la saludable separación entre política y economía.

En un país como México, con distinto régimen económico pero también en vías de desarrollo rápido, el problema se presenta en términos no muy distintos. La institución del partido único, que engloba realmente a la mayoría de la población, ha facilitado un avance considerable de nuestra economía, aunque todavía esa prosperidad no se refleja sino débilmente en el nivel de vida de las masas. Ahora nos aproximamos a un período de saturación: si la economía mexicana ha de continuar su ritmo de desarrollo, deberá aumentar la capacidad de consumo de la población. Y deberá aumentarlo de dos maneras: por la integración del sector marginal o "subdesarrollado" dentro de la economía del México moderno; y por la elevación del nivel de vida del proletariado, la clase media y los grupos de campesinos que forman ya parte del sector desarrollado. Son dos problemas contradictorios. La solución del primero podría implicar el aplazamiento del segundo objetivo, algo imposible en las actuales circunstancias del país. La otra solución tampoco es factible ni humana: el sector marginal, que es el que ha "pagado" el desarrollo de México hasta ahora, tampoco está dispuesto a esperar indefinidamente. Y aun si lo estuviese: su crecimiento demográfico paralizaría a la postre al sector desarrollado. Así pues, hay que resolver conjuntamente los dos problemas. La solución no requiere únicamente medidas de orden técnico sino también político. Por ejemplo, una de las condiciones del aumento de la capacidad de consumo del proletariado y la clase media reside en la existencia de un sindicalismo efectivamente libre. El renacimiento de las uniones obreras sería el preludio y la causa determinante de la reforma democrática de nuestro sistema político. Esa reforma aceleraría la movilidad social, sería un acicate y un estímulo del proceso de producción y consumo. A mayor número de productores que exigen mejores condiciones de vida, mayor número de consumidores y mayor expansión económica. El error de la izquierda mexicana ha sido y es oponer al Gobierno programas irreales o, las más de las veces, ir a su zaga. La razón, de nuevo, es clara: la evolución actual de México, como la del resto del mundo, no formaba parte de la perspectiva histórica de nuestros intelectuales de izquierda.)

Hace unos cuarenta años Ortega y Gasset hizo la crítica de la razón geométrica y del espíritu revolucionario; con la misma agudeza y quizá mayor rigor, Sartre ha hecho la de la rebeldía. En sus puntos de vista percibo una suerte de contradicción simétrica; el hecho me parece digno de atención porque no sé si se haya reparado en las semejanzas entre el pensador español y el francés. Al primero se le recuerda poco mientras que el segundo disfruta de fama mundial, tal vez porque Ortega fue conservador y Sartre es progresista o revolucionario. Aunque los dos vienen de la fenomenología, no es su común origen la razón única de su parecido. Aquello que los une no es tanto las ideas como el estilo de atacarlas, hacerlas suyas y compartirlas con el lector. Ambos, cada uno a su manera y en direcciones contrarias, trasformaron el pensamiento alemán moderno en meditación moral e histórica. A pesar de que no cultivan el estilo hablado, se les *oye* pensar: el tono de sus escritos es caluroso y perentorio —un tono magistral, en el buen y mal sentido de la palabra. Entusiasman e irritan y así nos obligan a participar en sus demostraciones. Ortega dijo alguna vez que él no era sino un periodista y Heidegger ha dicho lo mismo de Sartre. Es cierto: no son los filósofos del siglo, son la filosofía en el siglo. ¿Fueron algo distinto Voltaire y Turgot?

El escritor francés es más sistemático y su obra es más amplia y variada que la del español. Su acción pública también ha sido más generosa y arriesgada. Sartre se ha propuesto algo destinado al fracaso: la reconciliación entre la vida concreta y la vida histórica, el existencialismo y el marxismo. Su originalidad filosófica no reside, sin embargo, en esta inmensa y a ratos descosida tarea de síntesis sino en los hallazgos que, una y otra vez, enriquecen su reflexión. Si no ha fundado una moral, nos ha recordado que pensar y escribir son actos y no ceremonias. La escritura es una elección y no únicamente una fatalidad; la belleza crea un ámbito de responsabilidad y no confiere a nadie, ni al escritor ni al lector, impunidad. Las virtudes de Ortega son muy distintas. Mediterráneo y de origen católico como Sartre es nórdico y protestante, su prosa es clara y plástica. No la nubla la "sublimidad" de sus maestros alemanes ni la altera esa tensión religiosa que exaspera secretamente a la de Sartre, en perpetua rebelión contra el protestantismo de su infancia. Sartre ha eliminado a Dios de su sistema pero no al cristianismo. El pesimismo de Ortega es más radical y su afirmación de los valores vitales no implica la afirmación de trascendencia alguna, así se disimule con la máscara de la historia. Ortega es pagano, Sartre es un apóstata del cristianismo. Por último, Ortega tuvo mayor penetración histórica y muchas de sus predicciones se han cumplido. No se puede decir lo mismo de Sartre. No es la primera vez, por lo demás, que el pensamiento reaccionario revela extrañas dotes proféticas. Siempre me han maravillado las adivinaciones de Chateaubriand, Tocqueville, Donoso Cortés, Henry Adams. Fueron clarividentes a pesar de que sus valores eran los del pasado —o quizá por eso mismo: en ellos estaba viva aún la antigua noción cíclica del tiempo.

Según Ortega la bancarrota de la razón geométrica anuncia el ocaso del espíritu revolucionario, hijo del racionalismo europeo. La gran proveedora de utopías y proyectos revolucionarios, la razón, ha encarnado en la vida y se ha vuelto razón histórica o vital: es tiempo y no construcción intemporal. No creo que se haya equivocado y me asombra su agudeza: se necesitaba una extraordinaria perspicacia para haber adivinado, en pleno apogeo del milenarismo bolchevique, la situación de la Europa actual. Pero su crítica fue sumaria y el nuevo principio que proclamó, la razón histórica, me parece una versión apenas remozada del vitalismo y del historicismo alemanes. Para Ortega nuestra época es la de la ausencia de fundamentos; pues bien, en esa ausencia consiste su nuevo principio: su razón vital o histórica es mero cambio, sin que el pensador español nos diga la razón y los modos que asume el cambio.

Sartre ha tropezado con una dificultad semejante: encontrar un fundamento a la dialéctica. Heredera de la razón (pura, geométrica o analítica), la dialéctica es la verdadera razón histórica: es el único método que da cuenta de la sociedad, sus cambios y sus relaciones en el interior de sí misma (las clases) o con la naturaleza y las otras sociedades no históricas, primitivas o marginales. Pero la razón dialéctica no da cuenta del hombre concreto: hay una parte del yo, dice el mismo Sartre, irreductible a las determinaciones de la historia y sus clases. No es eso todo: la dialéctica no se explica a sí misma, no constituye su fundamento: apenas se constituye, se divide. La crítica de Lévi-Strauss a Sartre es pertinente: si hay una oposición fundamental entre la razón dialéctica y la analítica, una de las dos debe ser "menos racional"; puesto que la segunda es el fundamento de las ciencias exactas, ¿qué clase de razón será la dialéctica? La otra alternativa es igualmente contradictoria: si la dialéctica es razón, su fundamento no puede ser otro que la razón analítica. Para el antropólogo francés la diferencia entre las dos razones pertenece a la categoría de oposición complementaria: la razón dialéctica no es otra cosa que la analítica y, al mismo tiempo, es aquello que le permite a esta última comprender a la sociedad y sus cambios, instituciones y representaciones. La crítica de Lévi-Strauss es justa a medias: revela la contradicción de Sartre pero no la disuelve ni trasciende: ¿cuál es el fundamento de ese nuevo elemento que aparece en la razón analítica cuando se transforma en dialéctica? Razón vital y razón dialéctica son razones en busca permanente de un principio de razón suficiente.

Ortega estudia al reformista como figura antitética del revolucionario; Sartre, al rebelde. En su estudio sobre Baudelaire, el escritor francés parte de una idea que no es muy distinta a la de Ortega: el revolucionario quiere destruir el orden imperante e implantar otro, más justo; el rebelde se levanta contra los excesos del poder. Ortega había dicho: el revolucionario quiere cambiar los usos; el reformista, corregir los abusos. El punto de partida es semejante, no las conclusiones: Ortega decreta el ocaso de las revoluciones; Sartre desenmascara al rebelde para afirmar la primacía del revolucionario. En otro lugar me he ocupado de las ideas de Ortega; ahora me interesa seguir a Sartre en su razonamiento. Es natural que la figura del rebelde lo fascine y lo irrite: por una parte, fue el modelo que lo llevó, en su juventud, a romper con su mundo; por la otra, es una excepción que desmiente la regla revolucionaria. Revelar que su insumisión se inserta en el orden que pretende atacar y que, en el fondo, su rebeldía es un homenaje paradójico al poder, equivale a mostrar que la regla revolucionaria es universal y que la revuelta de los artistas, de Baudelaire al surrealismo, es una querella íntima de la burguesía. El rebelde es un pilar del poder: si éste se derrumbase, moriría aplastado. Y más: es su parásito. El rebelde se alimenta de poder: la iniquidad de arriba justifica sus blasfemias. Su razón de ser se funda en la injusticia de su condición; apenas cesa la injusticia, cesa su razón de existir. Satán no desea la desaparición de Dios: si la divinidad desapareciese, también él desaparecería. El diabolismo sólo vive como excepción y, por tanto, confirma la regla. Rebelarse es resignarse a seguir siendo prisionero de las reglas del poder; si el rebelde desease realmente la libertad, no atacaría al poder de las reglas sino a las reglas del poder, no al tirano sino al poder mismo. Así pues, la rebeldía no se puede fundar en ninguna particularidad o excepción —sin excluir la de ser poeta, negro o proletario— sin incurrir al mismo tiempo en la contradicción y, en la esfera moral, en la mala fe.

La verdadera rebelión ha de fundarse en un proyecto que abarque a los otros y, por tanto, tiene que ser universal. El negro no reivindica su negrura sino su humanidad: lucha porque la negrura se reconozca como parte constitutiva de la especie y de ahí que su rebelión se disuelva en un proyecto universal: la liberación de los hombres. La rebelión es una conducta que desemboca fatalmente en la revolución o que termina por traicionarse a sí misma. La rebelión de Baudelaire es una suerte de simulación circular, una representación; no se transforma en una causa ni abraza en su protesta a la desdicha de los otros. Exaltación de su singularidad humillada, es la contrapartida del Dios tiránico. La rebelión del poeta es una comedia en la que el yo juega contra el poder sin jamás decidirse a derribarlo. Baudelaire no quiere ni se atreve a ser libre; si se atreviese de verdad, dejaría de verse como un objeto, cesaría de ser esa cosa vista alternativamente con desprecio y ternura por el Padrastro cruel y la Madre infiel. Su rebeldía forma parte de su *dandysmo.* El poeta quiere ser visto. Mejor dicho, quiere ver que lo vean: la mirada ajena le da conciencia de sí y, simultáneamente, lo petrifica. De ambas maneras satisface su deseo secreto y contradictorio: ser un espectáculo desgarrador para los otros y una estatua imperturbable para sí mismo. Su *dandysmo* consiste en ser invulnerable y abierto a la mirada, como en un teatro en el que el actor anulase simultáneamente a los espectadores y su propia conciencia. Su rebeldía es nostalgia de la infancia y homenaje al poder; conciencia de la separación y deseo de regreso al "verde paraíso". Un paraíso en el que no cree. Su rebelión lo condena al espejo: no ve a los otros sino su propia mirada que lo mira.

LA EXCEPCIÓN DE LA REGLA

Sartre le pide a Baudelaire que deje de ser lo que es para ser ¿qué y quién? No lo dice pero le opone la figura de Victor Hugo. La *idea* de Victor Hugo pues, en la realidad, me imagino que prefiere los poemas de Baudelaire. Una y otra vez Sartre escoge lo que más critica: las abstracciones. En política fue la idea de la revolución, no la situación concreta de la Unión Soviética, la que lo llevó, hacia 1950, a defenderla contra viento y marea, sin excluir a Stalin y sus campos de concentración. No porque los aprobase sino porque no le parecían un hecho que desmintiese la realidad histórica (ideal): los campos eran una mancha que desfiguraba al régimen pero que no destruía su carácter socialista. Por cierto, los argumentos de la revista de Sartre, *Les Temps Modernes,* eran semejantes a los empleados por Trotski años antes, en el momento del pacto germano-soviético y de la invasión de Finlandia: la noción de un "Estado obrero degenerado", pero que conservaba intactas las bases de la propiedad social, no era muy distinta a la de la "révolution en panne" que sostenían Sartre y Merlau-Ponty. No siempre la posición de Sartre ha sido tan clara. Recordaré que durante la revolución húngara hizo unas extrañas declaraciones: "El error más grave ha sido probablemente el informe de Jruschov, pues la denuncia pública y solemne, la exposición detallada de todos los crímenes de un personaje sagrado (Stalin), que ha representado por tanto tiempo al régimen, es una locura cuando a tal franqueza no corresponde una previa y considerable elevación del nivel de vida de la población... Las masas no estaban preparadas para recibir la verdad..." Hacer depender del nivel de vida de las masas su capacidad para comprender la verdad, es tener una idea muy poco revolucionaria de éstas y muy poco filosófica de la verdad... Y sin embargo, ¿cómo olvidar la actitud de Sartre durante el conflicto de Argelia y, ahora, su admirable posición contra la guerra de exterminio que han emprendido los angloamericanos en Vietnam?

El ensayo sobre Genet aclara aún más las ideas de Sartre sobre la rebeldía. Cito este libro, tal vez uno de los mejores del pensador francés, no como un modelo de crítica literaria ni de análisis psicológico (aunque sea ambas cosas), sino como una exposición brillante y a veces de verdad profunda de algunas de sus ideas sobre este tema. Ahora el rebelde logra trascender su actitud inicial: su negación es total y esa negación absoluta se transforma, por la escritura, en una afirmación. Al escogerse como deyección y eyaculación, Genet se proyecta y se eyacula —se transfigura y así se libera. En el libro de Sartre el poeta Genet se convierte en una entidad conceptual. Sólo que si los conceptos son entidades manejables, los hombres son realidades irreductibles: después de leer ese ensayo conocemos mejor el pensamiento de Sartre pero el hombre real que es Genet se ha evaporado, reducido a ejemplo de una demostración. Genet escoge el "mal" y se vuelve "santo"; Santa Teresa escoge el "bien" y se vuelve "ramera". No sé lo que pensará el escritor francés de esta idea; estoy seguro de que la monja española se habría reído de buena gana. Sospecho que el primero no cree en la realidad ontológica del mal, aunque todo el razonamiento de Sartre tiende a demostrar que ése es el fondo de su proyecto vital; en cambio, no hay duda de que para Santa Teresa la única realidad, no ideal sino sensible y espiritual, era Dios. ¿Por qué la negación del primero es "buena" y la afirmación de la segunda, no menos total que la de Genet, es "mala"? Cierto, Sartre no se propone sino mostrar que la abyección y la santidad nacen de la misma fuente y que hay un momento en que terminan por confundirse. Esta idea no carece de verdad pero examinarla ahora me desviaría demasiado. Lo que me prohibe aceptar el juicio de Sartre sobre Genet se refiere a su concepción del proyecto vital: si Genet escoge el mal, ¿por qué escribe y lo hace bien?

La tendencia a explicar un nivel de realidad por otro más antiguo e inconsciente —el régimen social, la vida instintiva— es una herencia de Marx, Nietzsche y Freud. Esta manera de pensar ha cambiado nuestra visión del mundo y a ella le debemos innumerables descubrimientos. ¿Cómo no ver, al mismo tiempo, sus limitaciones? Recordaré la crítica de Polanyi: un reloj está hecho de moléculas y átomos regidos por las leyes físicas de la materia;

si esas leyes dejasen de funcionar por un momento, el reloj se detendría. Este razonamiento no se aplica a la situación inversa: aplastad el reloj y sus fragmentos continuarán obedeciendo a las mismas leyes... Se trata de dos niveles de significación diferente. Para Sartre el proyecto es la mediación entre dos realidades: el yo y su mundo. En su última obra filosófica reaparece la misma idea: "L'homme est médié par les choses dans la mesure même où les choses sont médiées par l'homme." Como el hombre no es un ser simple, la mediación implica tres niveles por lo menos: la realidad instintiva o inconsciente, la conciencia y el mundo (las cosas y los otros). Creo que el método de Sartre da cuenta, hasta donde es posible, de esta complejidad. No creo, en cambio, que pueda explicar las obras: aunque son parte del proyecto vital, su significación no se agota en la del proyecto. Entre obras y biografías hay un hiato. La relación entre ambas es la misma que la de las moléculas y el reloj de Polanyi. El truhán francés y la santa española son escritores, quiero decir, autores de obras que poseen una significación distinta a la de sus vidas. Sartre critica la creencia en la eternidad de las obras porque piensa que son signos históricos, jeroglíficos de la temporalidad. Pero si las obras no son eternas —¿qué se quiere decir con esa palabra?— sí duran más que los hombres. Su duración se debe a dos circunstancias: la primera es que son independientes de sus autores y de sus lectores; la segunda es que, por tener vida propia, sus significados cambian para cada generación y aun para cada lector. Las obras son mecanismos de significación múltiple, irreductibles al proyecto de aquel que las escribe.

Sartre denuncia la literatura como una ilusión: escribimos porque no podemos vivir como quisiéramos. La literatura es la expresión de una falta, el recurso contra una carencia. También es cierto lo contrario: la palabra es la condición constitutiva del ser hombres. Es un recurso contra el ruido y el silencio insensatos de la naturaleza y la historia pero asimismo es la actividad humana por excelencia. Vivir implica hablar y sin habla no hay vida plena para el hombre. La poesía, que es la perfección del habla —lenguaje que se habla a sí mismo— nos invita a la vida total. El desdén por la palabra delata que Sartre tiene nostalgia no de la plenitud humana sino del ser pleno: los dioses no hablan porque son realidades autosuficientes. En su ateísmo hay una suerte de rabia religiosa, ausente en los sabios y en otros filósofos ateos. Si la palabra central de su filosofía es *libertad,* hay que añadir que es una libertad que brota de una *condenación.* Para el escritor francés no tenemos más remedio que ser libres y por eso hablamos, escribimos y recomenzamos cada día una estatua de humo, insensata rebelión contra nuestra muerte e imagen de nuestra ruina. Su visión del hombre es la de la Caída: somos carencia, falta, vacío. El proyecto es una tentativa para llenar el agujero, la carencia de ser. Pero el proyecto no nos dice nada sobre una realidad que nos muestra la plenitud aun en el vacío: las obras. Gracias a ellas penetramos en otro mundo de significaciones y vemos nuestra propia intimidad bajo otra luz: salimos del encierro del yo. Genet y Santa Teresa son los autores de una obra. El primero es un escritor original; la segunda es algo más e infinitamente más precioso: un espíritu visionario doblado de una conciencia crítica nada común. (Compárese *Les mots* con lo que nos cuenta la monja de su vida.) Esas obras se desprenden de sus autores y son inteligibles para nosotros, aunque no lo sean las vidas de sus creadores.

La respuesta de Baudelaire a la crítica de Sartre son sus poemas. ¿En dónde está la realidad: en sus cartas y otros documentos íntimos o en su obra? De nuevo: se trata de dos órdenes diferentes. Nacida de la mala fe y del narcisismo masoquista de un *voyeur,* para el que la desnudez de la mujer es un espejo que lo reduce a reflejo y así lo salva de la mirada ajena, ¿esa poesía nos libera o nos encadena, nos miente o nos dice algo esencial sobre el hombre y su lenguaje? Toda gran obra de arte nos obliga a preguntarnos qué es el lenguaje. Esa pregunta pone en entredicho las significaciones, el mundo de convicciones que alimentan al hombre histórico, para que aparezca el *otro*. Aunque Sartre se ha hecho esa pregunta, no cree que toque a la poesía hacérsela y responderla: piensa que el poeta convierte las palabras en cosas. Pero las cosas, tocadas por la mano del hombre, se impregnan de sentido, se vuelven interrogación o respuesta. Todas las obras humanas son lenguajes. El poeta no transforma en objeto la palabra: devuelve al signo su pluralidad de significador y obliga al lector a que complete su obra. El poema es recreación constante. Cierto, Sartre no se propuso juzgar a la poesía sino desenmascarar al poeta, acabar con su mito. El propósito fue laudable, no el resultado. Por una parte, el análisis del proyecto no esclarece el significado real de la obra; por la otra, sin sus poemas la vida de Baudelaire resulta ininteligible. No quiero decir que su obra explique su vida; digo que es una parte de su vida: sin sus poemas Baudelaire no sería Baudelaire. La paradoja de las relaciones entre vida y obra consiste en que son realidades complementarias sólo en un sentido: podemos leer los poemas de Baudelaire sin conocer ningún detalle de su biografía; no podemos estudiar su vida si ignoramos que fue el autor de *Les fleurs du mal*.

LAS REGLAS DE LA EXCEPCIÓN

La crítica a Baudelaire tiene un interés más general porque en ese ensayo Sartre esboza una distinción entre rebeldes y revolucionarios que, a mi modo de ver, es central en su pensamiento político. Su punto de partida no es tanto la oposición entre usos y abusos como entre el orden injusto y las injusticias del orden: los usos del régimen burgués son en verdad abusos; los abusos de los regímenes socialistas, males pasajeros, históricos. No es difícil entender la razón de este relativismo. La sociedad burguesa puede darnos libertades pero esencialmente es negación de la libertad; su mal es constitucional: procede de la propiedad privada de los medios de producción y su moral y sus leyes son la consagración de la explotación de los hombres. El régimen comunista, aunque nos arrebate durante un período más o menos largo ciertos derechos y libertades, tiende hacia la libertad: su fundamento es la propiedad colectiva y su moral está inspirada en el principio de la liberación universal de los hombres. Lo primero que uno podría preguntarse es si la realidad soviética o china corresponde efectivamente a esta idea. A estas alturas parece locura afirmarlo; decir que en esos países ha desaparecido la explotación de los hombres, o que está en vías de desaparición, pertenece más bien a la esfera de la creencia que a la de la experiencia y la razón. Pero acepto, por un instante, que la dicotomía es real. Si es así, ¿cuál debe ser la actitud de los ciudadanos chinos, rusos o yugoslavos ante los abusos de sus gobiernos? Se dirá que su rebelión tiene otro sentido: bajo el régimen burgués los usos son abusos; en el socialista la distinción se restablece y, en consecuencia, la rebelión es legítima: desaparece la mala fe. Observo que este razonamiento justifica la rebelión de los ciudadanos pero no la conducta de los gobiernos revolucionarios. No importa: convengo en que un gobierno revolucionario puede padecer momentáneos extravíos. De todos modos, la regla universal se bifurca: hay dos clases de abusos y dos de rebeldes: los buenos y los malos, ellos y nosotros. El ciudadano de un país socialista puede ser rebelde pero no revolucionario; el de una nación burguesa debe ser revolucionario y no rebelde. Ése es el tema, si no me equivoco, de algunas de las piezas de teatro de Sartre. Me pregunto de nuevo: ¿cuál debe ser la actitud de un revolucionario en Occidente ante los rebeldes de los países socialistas: condenarlos en nombre del proyecto universal que es el socialismo o ayudarlos por los medios que estén a su alcance? Lo primero sería un regreso al stalinismo; lo segundo...

Ya sé que en la realidad las circunstancias son bastante más complicadas y que entre los extremos que señalo hay un gran número de decisiones posibles; lo que deseo es subrayar la fragilidad de una distinción que a primera vista parece universal. En teoría Sartre tiene razón: su relativismo moral no lo es tanto pues depende de una regla válida para todos en esta época histórica. Esa regla no es una ley inflexible: se funda en un proyecto universal, la liberación de los hombres, que es tanto una consecuencia de la historia moderna como materia de mi libre elección. Ese proyecto es la mediación entre nosotros y el mundo en que vivimos. La distinción moral depende del proyecto y éste, a su vez, de la situación real de la sociedad a que se pertenezca: corregir los abusos del régimen burgués no es bastante porque su injusticia es radical y constitucional; y a la inversa. Sin embargo, todo se nubla apenas se enfrenta la regla a la realidad: la dicotomía se disgrega y acaba por desvanecerse.

En nuestros días hay un elemento nuevo, la revuelta del "tercer mundo": ¿también opera entre nosotros la distinción de revolucionarios y rebeldes? Es claro que no y Sartre ha apoyado los movimientos de rebelión en las antiguas colonias europeas y en nuestra América. Casi ninguno de esos movimientos es socialista, en el sentido recto de la palabra, y todos ellos son apasionadamente nacionalistas. Inclusive muchos combinan ambas tendencias en una forma paradójica: el socialismo árabe, en la versión de Nasser o en la de los argelinos, no pretende disolver el arabismo en el socialismo sino arabizar a este último. Su rebelión es la de un particularismo que se anexa una universalidad, precisamente lo contrario de lo que postula Sartre: la disolución de la excepción en la regla universal. Lo mismo sucede en otras naciones de Asia y África. Y allí donde los dirigentes se proclaman discípulos de Marx y Lenin, como en Cuba, no por eso dejan de afirmar la originalidad e independencia de sus revoluciones nacionales. Así pues hay una tercera clase de rebeldes, a la que no es aplicable la distinción de Sartre: su rebelión es una afirmación de su particularidad.

En el campo de los poderes constituidos la dispersión no es menos visible. La querella entre los rusos y los chinos es la más grave pero no es la única que separa a los Estados socialistas. Aunque estas diferencias asumen la forma de oposiciones doctrinarias, sus raíces son los particularismos nacionales y la diversidad contradictoria de los intereses políticos y económicos de los miembros del grupo socialista. El otro bando también se escinde y está amenazado de disgregación. Las tendencias que representa el general De Gaulle no son un incidente pasajero, como quisieran los angloamericanos, sino un signo de la resurrección política de Europa occidental. En un futuro más o menos próximo las naciones europeas, unidas en una comunidad o a través de pactos bilaterales, iniciarán una política independiente que no tardará en enfrentarlas a los angloamericanos y también a los rusos. Japón seguirá el mismo camino en breve. El proceso de dispersión de las alianzas en Occidente se presenta en forma simétrica pero opuesta al del otro bando: aparecen primero las diferencias de orden económico y político, más tarde las nacionales y al final las doctrinarias. Es revelador, por otra parte, que las divisiones de los antiguos bloques no correspondan a ninguna transformación de las estructuras sociales y económicas ni a un cambio de filosofía política: unos y otros se siguen llamando a sí mismos socialistas y demócratas.

Los síntomas del cambio mundial están a la vista. En el momento de la crisis en Santo Domingo, la actitud de Francia en las Naciones Unidas no fue muy distinta a la de la Unión Soviética. Sucede lo mismo en el caso de Vietnam. Por el contrario, los intereses políticos de los soviéticos coinciden con los de los angloamericanos en el subcontinente indio. Sería ocioso multiplicar los ejemplos y bastará con recordar el más notable: la reciente amistad entre China y Paquistán. A medida que se acelere el proceso de disgregación, esto es, apenas la Europa occidental recobre la iniciativa política y el policentrismo se convierta en la ideología de las naciones de la Europa oriental, aparecerá con mayor claridad el carácter ilusorio de las viejas categorías históricas. Estamos ante realidades nuevas y sólo las grandes potencias, por interés propio, se empeñan en ignorarlas. Los más obstinados son los yanquis. En Vietnam destruyen a un pueblo en nombre del anticomunismo. Un crimen, además, inútil y que puede ser el principio de su ruina. La misma excusa les sirvió para justificar su invasión de Santo Domingo. Nadie les creyó, ni siquiera ellos mismos. Ni el acto ni la excusa eran nuevos: esa invasión repetía otras; y la búsqueda de una justificación moral es un reflejo puritano que los hispanoamericanos conocemos desde hace más de un siglo. La moral acompaña a los anglosajones en sus proezas como el golpe de pecho y el escribano seguían a los conquistadores. Es la moral cristiana disuelta en la sangre, algo así como un bochorno psíquico. Lo malo es que ahora el rubor se ha convertido en colorete.

La oposición mayor de nuestra época no es la que nos enseñó el marxismo —capital y trabajo, proletarios y burgueses— sino otra, no prevista por los fundadores de la doctrina ni por los discípulos, llámese Kautski o Lenin, Trotski o Stalin. Esta oposición, como es sabido, es la de países "desarrollados" y "subdesarrollados". Sólo a ella puede aplicarse con todo rigor la opinión de Marx sobre el carácter irreductible y creciente del antagonismo entre burgueses y proletarios: cada día las naciones ricas son más ricas y las pobres más pobres. Pero las categorías del marxismo no coinciden enteramente con la situación actual ni explican la nueva contradicción. La revuelta del "tercer mundo" es un movimiento pluralista que no se propone la creación de una sociedad universal. Las formas políticas y sociales que adopta, del socialismo estatal a la economía privada, no son fines en sí sino medios para acelerar su evolución histórica y acceder a la modernidad. Por tanto, no son un modelo universal. El "tercer mundo" carece de una teoría general revolucionaria y de un programa; no se inspira en una filosofía ni aspira a construir la ciudad futura según las previsiones de la razón o la lógica de la historia; tampoco es una doctrina de salvación o liberación como lo fueron en su tiempo el budismo, el cristianismo, la Revolución francesa y el marxismo revolucionario. En una palabra: es una revuelta mundial pero no es ecuménica; es una afirmación de un particularismo a través de un universalismo —y no a la inversa. Con esto no quiero decir que sea ilegítima. Al contrario, no sólo me parece justa sino que en ella veo, después del gran fracaso de nuestra independencia, la última posibilidad que tenemos los latinoamericanos de acceder a la historia. Sólo por ella cesaremos de ser objetos, para emplear el vocabulario de Sartre, y empezaremos a ser dueños de nosotros mismos. Esa revuelta es la nuestra. Pero no es un proyecto universal y, en consecuencia, no podemos extraer de ella una regla universal. La distinción entre rebeldes y revolucionarios se desvanece porque no es discernible una orientación única en la historia contemporánea. Negar su vigencia no significa caer en un empirismo grosero. Si estamos ante un cambio de los tiempos, como lo creo firmemente, el fenómeno afecta nuestras creencias y sistemas de pensar. En verdad lo que se acaba es el tiempo rectilíneo y lo que comienza es otro tiempo.

EL PUNTO FINAL

La acepción de la palabra revolución como cambio violento y definitivo de la sociedad pertenece a una época que concibió la historia como un proceso sin fin. Rectilínea, evolutiva o dialéctica, la historia estaba dotada de una orientación más o menos previsible. Poco importaba que ese proceso apareciese, visto de cerca, como marcha sinuosa, espiral o zigzagueante; al final la línea recta se imponía: la historia era un continuo ir hacia adelante. Esta idea no habría podido manifestarse dentro de la antigua concepción cíclica del tiempo. La ruptura del tiempo circular fue obra de la razón. Pero la ruptura habría sido imposible si antes la razón no hubiese cambiado de posición. La metafísica la consideró como el fundamento del orden del universo, el principio suficiente de todo cuanto es; la razón era la garantía de la coherencia del cosmos, es decir: de su *cohesión,* y de ahí que el movimiento mismo tuviese en ella su origen y su centro. Pacto del tiempo cristiano y la geometría griega: en la tierra, el tiempo rectilíneo y finito del hombre; en los cielos, el tiempo circular y eterno de los astros y los ángeles. Apenas la razón hizo la crítica de sí misma, después de haber hecho la de los dioses, dejó de ocupar el centro del cosmos. No por eso perdió sus privilegios: se convirtió en el principio revolucionario por excelencia. Agente capaz de modificar el curso de los acontecimientos, la razón se volvió activa y libertaria. Activa: fue movimiento, principio siempre cambiante y sin cesar ascendente; libertaria: fue el instrumento de los hombres para cambiar el mundo y cambiarse a sí mismos. La sociedad humana se transformó en el campo de operación de la razón y la historia fue el desarrollo de una proposición, un discurso que el hombre pronuncia desde la Edad de Piedra. Las primeras palabras de la historia fueron un balbuceo; pronto se convirtieron en una marcha de silogismos. Los progresos de la sociedad eran también los de la razón: la gesta de la técnica poseía la claridad y la necesidad de una demostración.

El marxismo ha sido la expresión más coherente y convincente de esta manera de pensar. Combina el prestigio de la ciencia con el de la moral; al mismo tiempo es un pensamiento total, como las religiones y filosofías del pasado. Si la historia es la marcha convergente de sociedad y razón, la acción revolucionaria consistirá en suprimir, cada vez en niveles más elevados, las contradicciones entre una y otra. La razón debe caminar con los pies sobre la tierra y, simultáneamente, la realidad social y la natural han de humanizarse, esto es, adquirir la libertad y la necesidad de las operaciones racionales. En la era burguesa la contradicción esencial es la divergencia entre el sistema de propiedad y el de producción: el segundo es "más racional" que el primero. La producción industrial tiende hacia la universalidad, es energía domesticada por el hombre y que, a su vez, podrá domar para siempre a la naturaleza; la propiedad privada ahoga la fuerza social de producción, el proletariado, e impide la universalización de los productos al retirarlos de la circulación, ya sea por la acumulación o por el despilfarro. El sistema industrial crea la abundancia; el capitalismo impide que accedan a ella las mayorías, trátese del proletariado o de la masa de esclavos coloniales. El significado del comunismo es doble: libera las fuerzas de producción y universaliza la distribución de los productos. La abundancia hace posible la igualdad y ambas producen la libertad auténtica, concreta. A medida que el proceso revolucionario se cumple, desaparecen las clases y las naciones; la sociedad civil y la económica se funden; las contradicciones entre economía y política se diluyen en provecho de la primera; el Estado, su moral y sus gendarmes, se evaporan. En suma, en su etapa más avanzada el comunismo disuelve la contradicción fundamental de lo que Marx llamaba la "pre-historia" humana: el sistema económico se vuelve plenamente social, es decir, racional y universal; y la razón se socializa, encarna efectivamente en los hombres. En ese momento surgen otras contradicciones, no especificadas por la doctrina... En la realidad, según todos sabemos, las contradicciones fueron otras y aparecieron antes de que terminase el proceso revolucionario que corresponde a esta época de la historia. No vale la pena enumerarlas: la clase universal, el proletariado, siguió siendo presa del reformismo y del nacionalismo; no hubo revoluciones en los países desarrollados; en Alemania triunfó el nazismo; en Rusia el stalinismo abatió a los compañeros de Lenin; y hoy, en el "tercer mundo", los protagonistas centrales de la revuelta son los campesinos, la pequeña burguesía y los intelectuales... Aparte de no formar parte de la lógica del sistema, estas inesperadas contradicciones fueron como la intrusión de otra realidad, arcaica y disonante. Algo así como la aparición de un poeta borracho en una reunión de académicos. La historia se puso a desvariar. Dejó de ser un discurso para volver a ser un texto enigmático aunque, tal vez, no del todo incoherente.

Después de todo esto es explicable la tentación de enterrar al marxismo. Nada más difícil. Por una parte, esa filosofía es parte de nosotros mismos y, en cierto modo, la llevamos ya en la sangre. Por la otra, renegar de su herencia moral sería renegar al mismo tiempo de la porción más lúcida y generosa del pensamiento moderno. Cierto, el marxismo es apenas un punto de vista —pero es nuestro punto de vista. Es irrenunciable porque no tenemos otro. Su posición es semejante a la de la geometría de Euclides: no rige en todos los espacios. La limitación del marxismo, sin embargo, no reside únicamente en que no sea aplicable a todas las sociedades (por ejemplo: a las primitivas)* sino en que no ha podido decirnos cuál es el sentido general del movimiento de la historia. Dentro de la teoría moderna de la evolución hay una rama especial, la biología de la microevolución, que estudia los cambios en el interior de las células. Es la disciplina central en esta materia y sus descubrimientos han alterado radicalmente nuestras ideas sobre la herencia y las mutaciones de las especies. Ahora bien, los especialistas todavía no pueden explicarnos la "dirección" de las mutaciones; quiero decir, no saben si las variaciones confirman o no

* Véase el capítulo XVI de *Anthropologie structurale*, de Claude Lévi-Strauss, sobre relaciones consanguíneas y estructuras económicas entre los primitivos.

el proceso biológico tal como lo concibe la teoría sintética de la evolución. Tal vez la razón reside en la fatal intervención del punto de vista del observador: nada nos permite afirmar, excepto un prejuicio filosófico, que mutación y evolución sean sinónimos. La comparación de la microevolución con el marxismo no es fortuita. La esencia de mi método, dice Marx en el prefacio a *El capital*, "es la fuerza de la abstracción": el análisis aísla a la "célula social" y la descompone en sus elementos. Como la microevolución, el marxismo ha descrito la célula social y ha revelado su estructura interna pero ha sido incapaz de prever la dirección general de la sociedad. Sus pretensiones en este campo son exorbitantes e infundadas. No pongo en duda la exactitud de sus análisis; pienso que no revelan el sentido de los cambios históricos.

El marxismo, justamente por ser la forma más perfecta y acabada del pensamiento correspondiente a la época del tiempo rectilíneo, revela que ese tiempo no es todos los tiempos. Y quizá podría agregarse: si la dialéctica no puede fundarse a sí misma es porque reposa, como todas las filosofías de la modernidad, sobre un abismo. Ese abismo es la escisión del antiguo tiempo cíclico. Nuestro tiempo es el de la búsqueda del fundamento o, como decía Hegel, el de la conciencia de la escisión. El marxismo, fiel a Hegel en esto, ha sido una tentativa por unir lo que fue separado. Pensamiento inclinado sobre la sociedad, descubrió que su célula es un organismo complejo, compuesto por un tejido de relaciones determinadas por el proceso social de producción económica; reveló asimismo la interdependencia entre los intereses y las ideas; por último, mostró que las sociedades no son amalgamas informes sino conjuntos de fuerzas inconscientes y semiconscientes (economía, superestructuras e ideologías en perpetua interpenetración) que obedecen a ciertas leyes independientes de nuestra voluntad. Muchas de sus afirmaciones, desde la concepción de la cultura como un reflejo de las relaciones sociales de producción hasta la idea de la misión universal revolucionaria del proletariado, nos parecen hoy más que dudosas. Asimismo, tenemos otra visión de las correspondencias e interrelaciones entre los sistemas de producción, las filosofías, las instituciones y los estilos artísticos de cada período histórico. Por lo demás, Marx no afirmó la primacía de la economía —es decir: de las "cosas"— sino de las relaciones de producción: "puede criticarse las insuficiencias de esta concepción fundamental del marxismo pero es imposible decir que esas *relaciones de producción* constituyan en el pensamiento de Marx un *orden en sí*, una objetividad exterior a los hombres".* Precisamente toda su polémica contra los economistas clásicos se dirigía a combatir el "fetichismo de la cosa económica", la idea de que existen "leyes naturales de la economía". El marxismo afirma que esas leyes no son naturales sino sociales: han sido hechas por los hombres.

Marx fundó la ciencia de las relaciones sociales. En cambio, ignoró la morfología de las sociedades y las civilizaciones, aquello que las separa y distingue por encima de los sistemas de producción económica. Hay muchas cosas que no caben en el marxismo, desde las obras de arte hasta las pasiones: todo aquello que es *único*, sea en un hombre individual o en las civilizaciones. Marx fue insensible a lo que sería uno de los descubrimientos de Nietzsche: la fisonomía de las culturas, su forma particular y su vocación singular. No vio que las llamadas "superestructuras", lejos de ser meros reflejos de los sistemas de producción, son asimismo expresiones simbólicas y que la historia, que es un lenguaje, es sobre todo una metáfora. Esa metáfora es muchas metáforas: las sociedades humanas, las civilizaciones; y una sola metáfora: el diálogo entre el hombre y el mundo. Marx no podía explicarse el "milagro" del arte griego: no correspondía al sistema social de Grecia. ¿Qué habría dicho ante las artes de los primitivos o ante las de

* Kostas Papaioannou: "Le mythe de la dialectique", en la revista *Contrat Social*, número 6 de 1964, París.

Oriente y la América precolombina? Sin embargo, esas artes no se proponen nada distinto a las modernas o a las del Renacimiento: son metáforas del hombre ante el mundo, del mundo en el hombre. En fin, el marxismo ha sido uno de los agentes de los cambios históricos de nuestro siglo pero su explicación de esos cambios ha sido insuficiente y, sobre todo, sus previsiones acerca de su sentido y dirección han resultado falsas. Desde este punto de vista, a la inversa de lo que piensa Sartre, el marxismo no es un *saber* sino precisamente una *ideología*. Lo es por partida doble: en los países comunistas porque, al cubrir la realidad social con un velo de conceptos, es una apología de relaciones sociales fundamentalmente injustas; en los países no comunistas porque, como el mismo Sartre lo dice, se ha convertido en "metafísica dogmática".

Aunque el marxismo se ha transformado en una ideología, en su origen fue un pensamiento crítico. En esto último reside su actualidad y el germen de su futura fecundidad. Al hablar de actualidad del marxismo crítico, no pienso en las disquisiciones sobre la dialéctica de Sartre ni en las ingeniosas y sabias variaciones de Althusser. El primero trata de conciliar el marxismo con el existencialismo; el segundo, con el estructuralismo. En ambos casos se trata de nuevas contribuciones al marxismo como "ideología"; quiero decir: inclusive cuando critican las versiones vulgares o tenidas por tales del marxismo (dialéctica de la naturaleza, "economismo", etc.), estos autores se abstienen de criticarlo como "ideología" y por tanto, robustecen su carácter de escritura sagrada. Sartre reduce el marxismo a una mera dialéctica histórica y así lo desnaturaliza y lo transforma en un "saber" —una filosofía sin fundamento exterior y que se funda a sí misma continuamente. La empresa de Althusser es de signo contrario. Trata de devolver al marxismo su dignidad de ciencia y de teoría: la estructura frente a la historia. Esta interpretación también desnaturaliza al marxismo, aunque ahora no para transformarlo en un "saber total" sino en una "teoría general", una ciencia. Lo histórico desaparece del marxismo, como antes Sartre había disipado la estructura. Ahora bien, "el análisis estructural —dice François Furet— es una tentativa por extender a las ciencias humanas los métodos de las ciencias de la naturaleza, pero Althusser y sus amigos la desvían sutilmente hacia el dogmatismo marxista, al que postulan como un *a priori* de la reflexión —ya que desde el principio consideran este último como un equivalente del modelo matemático". Las ideas de Althusser constituyen una real y original contribución al pensamiento social moderno, ya que no al marxismo. No es ahora el momento de ocuparme de ellas. Señalaré únicamente que la fuente de Althusser es la *Introducción general a la crítica de la economía política* (1857), en cuyas páginas Marx traza un programa del método de esta ciencia en términos que, hasta cierto punto, anticipan el estructuralismo. (No podía ser de otro modo: ya he dicho que su modelo era la célula: "la mercancía —dice en el prefacio a *El capital*— es la forma celular económica"). Pero en la misma *Introducción*... subraya hasta el cansancio que la ciencia social es histórica: "cuando hablamos de producción, se trata siempre de producción en un estado determinado de la evolución social". Althusser afirma que Marx produjo un nuevo conocimiento, del cual no pudo darse entera cuenta. Esta idea es de la más pura cepa marxista: la ciencia y el trabajo *producen* conocimiento, vuelven humana e inteligible la materia. Ese conocimiento, precisamente por ser un producto, es histórico —no es una estructura matemática. Sartre ve el marxismo como historia y moral. Althusser lo ve como ciencia. De ambas maneras pretenden hacerlo impermeable a toda crítica. En realidad no lo critican: lo erigen como modelo intocable, ya sea del proceso histórico o de las estructuras de la ciencia.

Si la esencia del marxismo es la crítica, su revisión no puede venir sino de un acto de autocrítica.

La crítica al marxismo como ideología es la condición indispensable para el renacimiento del pensar marxista y, en general, del pensamiento revolucionario. El programa de esta revisión crítica fue trazado por Marx mismo y, dice Papaioannou,* bastará sustituir la palabra *religión* por *marxismo ideológico* para comprender su actualidad: "la crítica de la religión es la condición de toda crítica... el fundamento de la crítica irreligiosa es el siguiente: el hombre hace la religión y no la religión al hombre... Pero el hombre es el mundo del hombre, el Estado, la sociedad. Ese Estado y esa sociedad producen la religión: una conciencia absurda del mundo, porque ellos mismos constituyen un mundo absurdo. La religión es la teoría general de este mundo, su compendio enciclopédico, su lógica en forma popular... su sanción moral, su razón general de justificación y consolación... la lucha contra la religión es así de rechazo la lucha contra ese mundo... la crítica de la religión es, en germen, la de este valle de lágrimas... la crítica del cielo se transforma en la crítica de la tierra, la crítica de la religión en la del derecho, la de la teología en crítica de la política..." Daría todas las especulaciones de los marxistas modernos sobre la dialéctica, el lenguaje, la estructura o la praxis entre los lacandones, por un análisis concreto de las relaciones sociales de producción en la Unión Soviética o en China. Pero la crítica de la tierra es imposible sin la crítica del cielo. No, el marxismo no es un saber total ni una ideología, aunque los que gobiernan (y hablan) en su nombre lo hayan convertido en "una teoría general del mundo" y en "un compendio enciclopédico". En el prólogo a su *Crítica de la economía política* (1859), Marx cuenta que él y Engels decidieron, en 1845, hacer su "examen de conciencia filosófica". El resultado fue *La ideología alemana.* Tal vez alguno en nuestra generación tendrá el valor y el genio de hacer de nuevo ese examen de conciencia filosófica y de hacerlo con el mismo rigor. Mientras

* *L'idéologie froide,* París, 1967.

esto no ocurra, nuestros filósofos, sabios y poetas, no contentos con hacer la apología del cielo ideológico continuarán haciendo la de la tierra y sus tiranos.

UNA FORMA QUE SE BUSCA

La carrera del revolucionario, como héroe o arquetipo del tiempo rectilíneo, ha sido paralela a la de las teorías que han expresado y modelado simultáneamente nuestra época, desde Maquiavelo hasta Trotski. Ante un estado de cosas injusto y, sobre todo, que ha perdido su razón de ser, el hombre se rebela. Esa rebelión pasa de la negación a la conciencia: se vuelve crítica del orden existente y proyecto de orden universal, justo y racional. A la crítica sucede la acción: la empresa revolucionaria exige la invención de una técnica y de una moral. La primera concibe la violencia como un instrumento y el poder como una palanca. Transforma así las relaciones humanas en objetos físicos, mecanismos o fuerzas. La violencia reaccionaria es pasional: castigo, humillación, venganza, sacrificio; la revolucionaria es racional y geométrica: no una pasión sino una técnica. Si la violencia se convierte en técnica, necesita una nueva moral que justifique o concilie la contradicción entre fuerza y razón, libertad y poder. La moral antigua distinguía entre medios y fines —distinción teórica que pocas veces impidió el crimen y el abuso pero distinción al fin y al cabo. El revolucionario, como lo explica Trotski en *Su moral y la nuestra* con una suerte de ardor helado, no puede darse el lujo de distinguir. Fines y medios no son buenos ni malos en sí: son o no son revolucionarios. La moral del imperativo categórico, o cualquiera otra semejante, sólo es viable en una sociedad que haya destruido para siempre las fuentes de la coerción y la violencia: la propiedad privada y el Estado. Gandhi pensaba, con notoria simpleza o hipocresía —nunca he logrado averiguarlo del todo—, que lo único que cuenta son los medios: si son buenos, los fines también lo serán. Trotski se niega a distinguir entre medios y fines: unos y otros corresponden a situaciones históricas determinadas. Los medios son fines y éstos aquéllos: lo que cuenta es el contexto histórico, la lucha de clases.

Las ideas de Trotski pueden alarmarnos pero no podemos calificarlas de inmorales sin caer en la hipocresía y el maniqueísmo. Todo cambia, sin embargo, apenas el revolucionario asume el poder. La contradicción entre razón y violencia, poder y libertad, velada en el momento de la lucha revolucionaria, aparece entonces con toda claridad: al asumir la autoridad, el revolucionario asume la injusticia del poder, no la violencia del esclavo. Es verdad que no es imposible justificar el terror: si el Estado revolucionario debe enfrentarse al asedio de los enemigos del exterior o del interior, la violencia es legítima. Pero ¿quién juzga sobre la legitimidad del terror: las víctimas o los teólogos en el poder? Esta discusión podría prolongarse hasta el infinito. Cualquiera que sea nuestra opinión, hay algo que me parece incontrovertible: el terror es una medida de excepción. Su persistencia delata que el Estado revolucionario ha degenerado en un cesarismo. Además, la conquista del poder plantea al revolucionario otro dilema no menos grave y urgente que el del terror: la nueva realidad no coincide nunca con las ideas y programas revolucionarios. Lo extraño sería lo contrario: los programas no se aplican a objetos físicos sino a sociedades humanas, cuya esencia es la indeterminación. Ante el carácter opaco y a veces monstruoso de la nueva realidad, dos caminos se abren al revolucionario: la rebelión o el poder, el patíbulo o la administración. El revolucionario termina por donde empezó: se somete o se rebela. Escoja una u otra solución, deja de ser revolucionario. El ciclo se cierra y comienza otro. Es el fin del tiempo rectilíneo: la historia no es una marcha continua.

El fin del tiempo rectilíneo puede comprenderse de dos maneras. La primera consiste en pensar que efectivamente podría acabarse: una hecatombe atómica, por ejemplo, le pondrá término. Esta visión apocalíptica, llena de turbadoras resonancias cristianas, constituye nada menos que el fundamento de la política de coexistencia pacífica de la Unión Soviética. No sin razón los chinos se han escandalizado y la han denunciado como una traición a la doctrina. Afirmar que la historia puede acabarse en una llamarada implica varias herejías menores y una mayor: la historia deja de ser un proceso dialéctico y la marcha de la realidad hacia la razón desemboca en un acto irracional y por definición insignificante: una explosión material. La segunda manera de concebir el fin del tiempo rectilíneo es mucho más modesta: se reduce a afirmar que la historia moderna ha cambiado de orientación y que asistimos a una verdadera *revuelta* de los tiempos. Decir que el tiempo rectilíneo se acaba no es una herejía intelectual ni delata una culpable nostalgia por el mito y sus ciclos fatales y sangrientos. El tiempo cambia de forma y con él nuestra visión del mundo, nuestras concepciones intelectuales, el arte y la política. Quizá sea prematuro tratar de decir cuál es la forma que asume el tiempo; no lo será señalar, aquí y allá, algunos signos indicadores del cambio.

Desde 1905 el universo ha cambiado de figura y la línea recta ha perdido sus privilegios. "El espacio de Einstein —dice Whittaker— no es ya el foro en el que se representaba el drama de la física; hoy el espacio es uno de los actores porque la gravitación está enteramente controlada por la curvatura, que es una propiedad geométrica del espacio." Parece innecesario, por otra parte, referirse a la concepción moderna de la estructura del átomo, en especial a las partículas elementales. Será suficiente con recordar que no se trata propiamente de elementos sino de zonas de interacción, campos de relación. Un cambio semejante se observa en las otras ciencias: la biología de la microevolución, la lingüística, la teoría de la información y la antropología estructural de Lévi-Strauss abandonan las explicaciones lineares y coinciden en su visión de la realidad como un sistema de relaciones sincrónicas. Célula, palabra, signo, grupo social: cada unidad es un conjunto de partículas, a la manera de las del átomo; cada partícula, más que unidad aislada, es una relación. El análisis lingüístico, dice Jakobson, distingue dos niveles en el lenguaje: el semántico, del morfema a la palabra, la frase y el texto; y el fonológico: fonemas y partículas distintivas. El primer nivel, el semántico, está regido por la significación; el segundo es una estructura que podría llamarse presignificativa pero sin la cual no podría darse la significación. En cierto modo la estructura fonológica determina el sentido, a la manera de un aparato de transformación que convierte las ondas en signos sonoros o visuales. Los fonemas son "sistemas de átomos simbólicos", cada uno compuesto por partículas diferenciales: aunque los fonemas y sus partículas no poseen significado propio, participan en la significación porque su función consiste en distinguir una unidad fonológica de otra. Designan una alteridad: esto no es aquello. En su nivel más simple el lenguaje es relación de oposición o asociación y sobre esta combinación binaria reposa toda la inmensa riqueza de sus formas y significados. Si de los fonemas se asciende hasta la palabra, se confirmará que el lenguaje es una suerte de aparato de transformación simbólica: las distintas combinaciones de los vocablos —esto es: su posición en el interior de la frase— producen el significado. El fenómeno se repite en el texto: los significados varían de acuerdo con la posición de las frases. Estas relaciones no son "históricas", diacrónicas: el lenguaje es una estructura permanente. I. A. Richards ha señalado recientemente que el mismo proceso combinatorio opera en microbiología: "los niveles molecular, cromosomático y celular coinciden con los de morfema, frase y texto en la jerarquía lingüística". La analogía puede extenderse a la antropología, a la teoría de la comunicación y a otros campos, sin excluir a los de la creación artística y poética.

En un libro reciente de los profesores S. Toulmin y J. Goodfield (*The architecture of matter*),* leo: "The distinction between living and non-living things can no longer be drawn in *material* terms. What marks them off from one another is not the stuff of which they are made: the contrast is rather one between systems where organization and activities differ in complexity." Si el antiguo espíritu es una reacción química de las células del cerebro, la antigua materia no es más que una organización, una estructura: un circuito de relaciones. Todas estas concepciones reducen la idea del tiempo rectilíneo a una mera variante en el sistema de relaciones. La cronología, el sucederse las cosas unas detrás de otras, es una relación pero no es la única ni la más importante. A la relación diacrónica, las ciencias modernas —la física, la lingüística, la genética y la antropología— oponen la relación sincrónica. El modelo de la ciencia no es la historia. En rigor, el antes y el después son maneras de aludir a los fenómenos, expresiones simbólicas o metáforas, artificios del lenguaje.

En *The idea of progress,* el historiador inglés J. B. Bury describe los esfuerzos realizados por los sociólogos e historiadores del siglo pasado por descubrir la ley del movimiento de la civilización. Contra las esperanzas de Kant, ningún Kepler o Newton encontró esa ley histórica. Por un momento la teoría de la evolución, ya que no la física ni la astronomía, pareció ofrecer un fundamento sólido. Darwin terminó su *Origen de las especies* con estas palabras: "As all the living forms of life are the lineal descendants of these which live before the Silurian epoch, we may feel certain that the ordinary succession by generation has never once broken, and that no cataclysm has desolated the whole world... And as natural selection works solely by

* Londres, 1962.

and for the good of each being, all corporeal and mental environments will tend towards perfection." Por una parte, la física y la astronomía contemporáneas se inclinan más bien por la idea de que el universo ha sido y es el teatro de continuas explosiones y cataclismos; por la otra, inclusive si fuese exacta, y no lo es, la piadosa teoría de la selección natural como Providencia que opera "por y para el bien de cada especie" —esa ley biológica no es aplicable a la historia humana ni siquiera como analogía. La idea de la evolución, sobre todo en su forma contemporánea (la llamada "teoría sintética de la evolución"), se presta con igual facilidad y falta de fundamento a interpretaciones optimistas o pesimistas pero no es una ley histórica. Por último, la historia y la etnología, al descubrir la pluralidad de sociedades y de civilizaciones, han mostrado que la idea del progreso, ya no como ley sino como agente ideológico de los cambios sociales, ha tenido escasa influencia entre los hombres, excepto en el mundo de Occidente y durante el período moderno. Nuestra civilización no ha sido (ni será) la única civilización y la idea del progreso tampoco ha sido (ni será) la única que mueva a los hombres. El progreso postula, dice Bury, "la ilusión de la finalidad". Al mismo tiempo, la destruye: si todo es cambio, la idea del progreso está condenada a muerte por el mismo proceso: "another star, unnoticed now or invisible, will climb up the intellectual heaven, and human emotions will react to its influence, human plans respond to its guidance". Añadiré que algunos ya tienen noticia de esa estrella, aunque todavía no sea del todo visible.

Las formas artísticas del pasado, clásicas o barrocas, eran cerradas. Destinadas a presentar, encerraban siempre una figura. Desde el simbolismo los artistas aislaron los elementos, rompieron la forma y así dispersaron la presencia. El simbolismo se propuso, más que convocar la realidad, evocarla. La poesía fue una liturgia de la ausencia y, más tarde, una explosión verbal. Las otras artes siguieron el camino de la poesía e incluso fueron más allá. A la destrucción de la forma cerrada sucedió la embestida contra el lenguaje; a la anulación del significado, la del signo; a la de la imagen y la figuración, la de la representación pintada. Hoy la poesía, en las formas extremas de la "poesía concreta", es composición tipográfica a medio camino entre el signo y el significado; y la pintura ha dejado de serlo propiamente: es el triunfo de la cosa sobre la representación (pop-art) y del procedimiento sobre la expresión (op-art). Pero la historia del arte moderno no se reduce a la disgregación de la forma cerrada y a la irrupción del objeto (verbal, plástico o sonoro). A fines del siglo pasado, un poco antes de morir, Mallarmé publica *Un coup de dés.* En *Los signos en rotación* (1965) me he referido a la significación de ese texto. Repetiré que su publicación señala algo más que el nacimiento de un estilo o de un movimiento: es la aparición de una forma abierta, que intenta escapar de la escritura lineal. Una forma que sin cesar se destruye y recomienza: regresa a su nacimiento sólo para volver a dispersarse y volverse a reunir. La página también deja de ser un foro: es un espacio que participa en la significación, no porque la posea en sí misma sino porque vive en relación de alteridad y conjunción, alternativamente, con la escritura que la cubre y la desnuda. La página es escritura; la escritura, espacio. El poema cambia de significados a medida que cambia la posición de sus elementos: palabras, frases y blancos. En rotación constante, en busca perpetua de su significado final, sin alcanzarlo jamás del todo, el poema es un mecanismo de transformación como las células y los átomos. Éstos son transformadores de energía y vida; el poema, de representaciones simbólicas. Unos y otros son aparatos metafóricos... Todas las obras que realmente cuentan en lo que va del siglo, sea en la literatura, la música o la pintura, obedecen a una inspiración análoga. No el círculo en torno a un centro fijo ni la línea recta: una dualidad errante que se dispersa y se contrae, una y mil, siempre dos y siempre juntos y opuestos, relación que no se resuelve ni en unidad ni en separación, significado que se destruye y renace en su contrario. Una forma que se busca.

LA REVUELTA

Una civilización es un sistema de vasos comunicantes. Por tanto, no será abusivo trasladar en términos de historia y política todo lo que he dicho sobre las tendencias del pensamiento moderno. Mi primera observación es la siguiente: si la historia no es una marcha rectilínea, tampoco es un proceso circular. En un mundo curvo es imposible no regresar en cierto momento al punto de partida, salvo si el espacio también marcha con nosotros. O sea: si ha dejado de ser el foro para convertirse en uno de los actores. El espacio en que se ha representado la historia en los últimos siglos se llama América Latina, Asia y Africa. En Europa los pueblos fueron, hasta cierto punto, los protagonistas de la historia; en nuestras tierras fueron los objetos. No es exagerado decir que hemos sido tratados como paisaje, cosas o espacio inerte. Hoy el espacio se ha incorporado y participa en la representación. Aquí interviene la segunda observación: si el espacio es actor, es también autor. Continuo cambio de trama y personajes, la historia ya no es una pieza escrita por un filósofo, un Partido o un Estado poderoso; no hay "destino manifiesto": ninguna nación o clase tiene el monopolio del futuro. La historia es diaria invención, permanente creación: una hipótesis, un juego arriesgado, una apuesta contra lo imprevisible. No una ciencia sino un saber; no una técnica: un arte.

El fin del tiempo rectilíneo es también el fin de la revolución, en la acepción moderna de la palabra: cambio definitivo en un espacio neutro. Pero en el otro, más antiguo, el fin de la línea recta confirma que vivimos en una revolución: giro de los astros, rotación de las civilizaciones y los pueblos. El cambio de posición de las palabras en nuestro universo verbal puede ayudarnos a comprender el sentido de lo que ocurre. La palabra revuelta fue desplazada por revolución; ahora revolución, fiel a su etimología, regresa a su antiguo significado, vuelve a su origen: vivimos la revuelta. La sublevación de los pueblos del "tercer mundo" no es una rebelión: en tanto que las rebeliones son excéntricas, marginales y minoritarias, este movimiento engloba a la mayoría de la humanidad y, aunque haya nacido en la periferia de las sociedades industriales, se ha convertido en el centro de las preocupaciones contemporáneas. El levantamiento del "tercer mundo" tampoco es una revolución. Sobre esto último no vale la pena repetir lo que dije más arriba: estamos ante un movimiento plural que no corresponde a nuestras ideas sobre lo que es o debe ser una revolución. En verdad es una revuelta popular y espontánea que aún busca su significado final. Los extremos la desgarran y, simultáneamente, la alimentan: las ideas universales le sirven para proclamar su particularismo; la originalidad de sus antiguas religiones, artes y filosofías para justificar su derecho a la universalidad. Colección abigarrada de pueblos en andrajos y civilizaciones en añicos, la heterogeneidad del "tercer mundo" se vuelve unidad frente a Occidente: es el *otro* por definición, su caricatura y su conciencia, la otra cara de sus inventos, su justicia, su caridad, su culto a la persona y sus institutos de seguridad social. Afirmación de un pasado anterior a Cristo y las máquinas, es también voluntad de modernidad; tradicionalista, prisionero de ritos y costumbres milenarias, ignora el valor y el sentido de su tradición; modernista, oscila entre Buda y Marx, Shiva y Darwin, Alá y la cibernética. Siente fascinación y horror, amor y envidia por sus antiguos señores: quiere ser como las "naciones desarrolladas" y no quiere ser como ellas. El "tercer mundo" no sabe lo que es, excepto que es voluntad de ser.

Las sociedades industriales, cualquiera que sea su régimen político, gozan de una prosperidad jamás alcanzada en el pasado por ninguna otra civilización. La abundancia no es sinónimo de salud: nunca en la historia el nihilismo había sido tan general y total. No incurriré en la fácil descripción de los males psíquicos y morales de Occidente; tampoco en la debilidad de pronosticar la inminencia de su derrumbe. Ni lo juzgo próximo ni lo deseo. Si no creo en el fin de las sociedades industriales —en realidad ahora empieza la "segunda vuelta" de Europa— tampoco me niego a ver lo evidente: se mueven con rapidez pero han perdido el sentido y la dirección del movimiento. En los últimos veinte años hemos asistido al desmoronamiento de las pretensiones universalistas de la Unión Soviética. Espero mucho de los poetas, los sabios y los artistas de Rusia. Espero, sobre todo, el despertar del pueblo ruso: oír esa voz profunda y húmeda que a veces, como una ráfaga, oímos al leer a sus poetas y novelistas. Creo en el espíritu del pueblo ruso casi como en una revelación religiosa pero, por fortuna para ellos y para nosotros, Moscú no es Roma. Por lo que toca a los Estados Unidos: aunque son el país más poderoso de la tierra, carecen de una filosofía a la medida de su fuerza y de sus ambiciones. El pensamiento político de los angloamericanos es una herencia de los ingleses. Fue suficiente en la época de la expansión yanqui en América Latina; ahora, como ideología mundial, no es menos anticuada que la doctrina de la "libre empresa", la máquina de vapor y otras reliquias del siglo XIX. Los Estados Unidos son un caso único en la historia: un imperialismo en busca de un universalismo. ¿El secreto de la vitalidad de las tendencias "aislacionistas" no estará en la conciencia oscura que tiene ese pueblo de la contradicción que existe entre su poderío y la filosofía política que lo fundó? Ni su genio nacional ni las circunstancias —ya es demasiado tarde en la historia del mundo— son propicios, por lo demás, a la elaboración de ese hipotético universalismo. La universalidad de los Estados Unidos es la de la técnica, es decir, lo contrario de una ideología y aun de una política. Tal vez esto explica la brutalidad de los métodos yanquis y el maquiavelismo a corto plazo de su política internacional. No es eso todo: los angloamericanos no pueden aspirar ya a la hegemonía mundial, no sólo por la existencia de la Unión Soviética —disminuida, no eliminada, como rival— sino por el nacimiento de la República Popular de China y por el renacimiento de Europa. La clave del futuro de las sociedades industriales y, en buena parte, el de la revuelta del "tercer mundo", se encuentra en Europa, la del oeste y la del este. Allí ocurrirán grandes cambios que, tal vez, abrirán un horizonte más despejado a este siglo violento, destructor de sistemas y destruido por ellos. Para limitarme a lo inmediato: una política europea independiente modificaría las relaciones entre las superpotencias y afectaría decisivamente la historia en África, Asia y América Latina. Las sociedades industriales podrían así iniciar un nuevo tipo de diálogo, entre ellas y con el resto del mundo.

Ignoro cuál será el porvenir de la revuelta del "tercer mundo". La obsesión de los dirigentes de esas naciones y de su "inteligencia", casi en su totalidad educada en las antiguas metrópolis, es el desarrollo económico y social. Unos ven en las versiones más o menos burocráticas del "socialismo" la manera más rápida de alcanzar el nivel industrial; otros confían en la "economía mixta", la técnica, los préstamos del extranjero, la educación, etc. A estas alturas ya no es posible tener la confianza que hace veinte años se tenía en el "socialismo" burocrático o estatal. Ha hecho sus pruebas. La otra solución no es menos dudosa. Los préstamos, siempre insuficientes e interesados, son con frecuencia contraproducentes; no aceleran el desarrollo sino la inflación y, como es necesario administrarlos, engendran nuevos ejércitos de burócratas y "expertos". Estos últimos son la calamidad moderna de esos países; si la viruela y la malaria diezmaban las poblaciones, la nueva peste extranjera paraliza la mente y la imaginación. Por lo que toca a la técnica: antes de ser un método de desarrollo es un estado de conciencia, una actitud ante la naturaleza y la sociedad. La mayoría de los pueblos de Asia y África ven en la técnica un milagro, un prodigio y no una operación en la que interviene como elemento central la visión cuantitativa del mundo. La educación moderna es hasta ahora el dudoso privilegio de una minoría. Su resultado más inmediato y visible ha sido interponer un muro entre los educados a la occidental y el pueblo con una cultura tradicional. Minorías sin pueblo y pueblo sin minorías. Además, las víctimas de la educación occidental padecen esa enfermedad que se llama "doble personalidad" o, en términos morales, inautenticidad. Así, lo más urgente es que el "tercer mundo" recobre su propio ser y se enfrente a su realidad. Esto requiere una crítica rigurosa y despiadada de sí mismo y de la verdadera índole de sus relaciones con las ideas modernas. Estas ideas han sido muchas veces meras superposiciones: no han sido instrumentos de liberación sino máscaras. Como todas las máscaras, su función consiste en defendernos de la mirada ajena y, por un proceso circular que ha sido descrito muchas veces, de la mirada propia. Al ocultarnos del mundo, la máscara también nos oculta de nosotros mismos. Por todo esto, el "tercer mundo" necesita, más que dirigentes políticos, especie abundante, algo más raro y precioso: críticos. Hacen falta muchos Swift, Voltaire, Zamiatine, Orwell. Y como en esas tierras, antiguas patrias de la orgía dionisiaca y del saber erótico, hoy impera un puritanismo hipócrita y pedante, también hacen falta unos cuantos Rabelais y Restif de la Bretonne vernáculos.

El gran problema a que se enfrentarán las sociedades industriales en los próximos decenios es el del ocio. El ocio había sido, simultáneamente, la bendición y la maldición de la minoría privilegiada. Ahora lo será de las masas. Es un problema que no será resuelto sin la intervención de la imaginación poética, en el recto sentido de las palabras imaginación y poesía. En la era precapitalista el pueblo era más pobre pero trabajaba menos horas y había más días de fiesta. No obstante, el ocio popular nunca fue un problema, gracias a la abundancia de ceremonias, festejos, peregrinaciones, ferias y ritos religiosos. Es un arte que hemos olvidado, como hemos perdido el de la meditación y la contemplación solitaria. Occidente debe redescubrir el secreto de la encarnación del poema en la vida colectiva: la fiesta. El descenso de la palabra entre los hombres y su repartición: el *Pentecostés* y la *Pasión.* La otra alternativa es siniestra: el ocio envilecido de los grandes imperios, el circo romano y el hipódromo bizantino. Esta última posibilidad no es remota sino real e inminente: la prefiguran las "vacaciones" y el amor a los espectáculos idiotas. Aunque los problemas de las sociedades "subdesarrolladas" son exactamente los contrarios, requieren igualmente el ejercicio de la imaginación, política y poética. El primero y más inmediato es librarse hasta donde sea posible de las garras de las grandes potencias. Escapar a la dialéctica de las rivalidades internacionales y de las esferas de influencia: dejar de ser instrumentos. Es difícil pero no imposible: hay ejemplos. El segundo, no menos urgente, consiste en inventar modelos de desarrollo integral que sean más rápidos y eficaces, menos costosos y exóticos, que los elaborados por los "expertos" de Occidente. Más viables y, sobre todo, más en consonancia con su genio y su historia. Antes hablé de la necesidad de un Swift indonesio o de un Zamiatine árabe; también es indispensable la presencia de una imaginación activa y enraizada en la tierra mental nativa: soñar y obrar en términos de la realidad propia. ¿Cómo es posible que esos pueblos, creadores de conjuntos arquitectónicos que fueron asimismo centros de convivencia humana, puntos convergentes de la imaginación y la acción práctica, las pasiones y la contemplación, el placer y la política —esos pueblos que hicieron del jardín un espejo de la geometría, del templo una escultura palpitante de símbolos, del sonar del agua en la piedra un lenguaje rival del de los pájaros—, cómo es posible que hayan renegado a tal punto de su historia y de su vocación? Pero las minorías dirigentes, a pesar de su nacionalismo —o a causa de ese nacionalismo, que es otra máscara europea— prefieren el lenguaje abstracto que aprendieron en las escuelas de economía de Londres, París o Amsterdam.

El único Voltaire hindú que yo conozco, Nirad C. Chaudhuri, ha escrito en un momento de explicable exasperación que lo primero que habría que hacer es expulsar del país a todos los expertos extranjeros; renunciar a la ayuda del exterior, escasa, humillante y corruptora; liquidar a la minoría dirigente, sea de izquierda o derecha, adore a Su Majestad Británica o al Presídium del P. C. ruso, al Pentágono o al presidente Mao... y comenzar todo de nuevo, como las tribus arias hace cuatro mil años. ¿Y no es eso lo que han hecho, cada uno a su manera, Japón y China: pensar y aplicar las ideas occidentales en términos chinos y japoneses? El dilema parece ser: ¿convertir las ideas o convertirse a ellas? Es un dilema falso: al adoptar a un dios o a un sistema extraño, lo convertimos y nos convierte. El problema, por lo demás, es teórico: el "tercer mundo" está *condenado* a la modernidad y de lo que se trata no es tanto de escapar a ese destino como de encontrar una forma menos inhumana de conversión. Una forma que no implique, como ahora, la duplicidad y la escisión psíquica. Una forma que, asimismo, no consume definitivamente la enajenación, la muerte del alma. De ahí la necesidad de la autocrítica y de la imaginación. La primera pone el dedo en la llaga: la mentira; la segunda proyecta modelos de desarrollo que sean también de convivencia: el "nivel de vida" es una categoría abstracta y la verdadera vida es concreta, particular... La revuelta del "tercer mundo" no encuentra su forma y por eso degenera en cesarismos delirantes o languidece bajo el dominio de burocracias cínicas y muelles. Los dirigentes no saben exactamente lo que quieren ni cómo obtener aquello que vagamente se han propuesto. Lo que ha ocurrido en los últimos años, tanto en Asia como en África, no es alentador.

En cuanto a nosotros, los latinoamericanos: vivimos quizá nuestra última posibilidad histórica. Se dice y repite que pertenecemos al "tercer mundo". Hay que agregar que nuestra situación es fronteriza y singular: nos define, como a todos esos pueblos, el escaso desarrollo industrial y la dependencia, más o menos determinante, según el caso, de poderes extraños (en el nuestro: los Estados Unidos). Al mismo tiempo, nuestra realidad económica y social es distinta y también lo es nuestra historia. La conquista y dominación de los españoles y portugueses en América no se parece a la de los europeos en Asia y aún menos en África. Tampoco hay semejanza entre nuestros movimientos de independencia y los de esas naciones. A diferencia de lo que ocurrió en la India o el sudeste asiático, ninguna de las grandes civilizaciones precolombinas resistió al dominio español; tampoco ninguna religión no cristiana está viva entre nosotros. El salto hacia la modernidad en América Latina se realiza desde el cristianismo y no desde el islamismo, el budismo o el hinduismo. Ese salto es natural, por decirlo así: la modernidad nació como una crítica del cristianismo —es la hija del cristianismo, no del Islam o del hinduismo. Para nosotros el cristianismo es una vía, no un obstáculo; implica un cambio, no una *conversión* como en Asia y en África. Lo mismo debo decir de la influencia del pensamiento político europeo, especialmente el de Francia, en nuestras guerras de independencia y en nuestras instituciones republicanas. Fue una libre elección, no una imposición ni una herencia de la dominación colonial. Por último, los antagonismos sociales tienen un carácter distinto entre nosotros. Por más incompleta, injusta e imperfecta que sea la integración social y cultural, en América Latina no existen dos sociedades frente a frente y con valores opuestos, según ocurre en la mayoría de los países asiáticos y africanos. Cierto, hay minorías y supervivencias del período prehispánico pero no tienen la gravedad ni el peso del régimen de castas en India, las lealtades tribales en África y el nomadismo en otras regiones. La historia configura a América Latina como un caso aparte. En realidad, somos una porción excéntrica y atrasada de Occidente. Excéntrica como los Estados Unidos; atrasada, dominada y explotada como los otros países del "tercer mundo" y algunos de Europa.

El tema de América Latina requiere un análisis por separado y de ahí que me haya abstenido de tratarlo a lo largo de estas divagaciones y comentarios. Hace ya muchos años, en las últimas páginas de otro libro, señalaba que "nadie se había inclinado sobre el rostro borroso e informe de las revoluciones agrarias y nacionalistas de América Latina y Oriente para tratar de entenderlas como lo que son: un fenómeno universal que requiere una nueva interpretación... Aún es más desolador el silencio de la *inteligencia* latinoamericana, que vive en el centro del torbellino". La Revolución de Cuba, posterior a esas líneas, hace más urgente esa reflexión. Por ahora sólo diré que no se trata únicamente de liquidar un estado de cosas injusto, anacrónico y que nos condena, en lo exterior, a la dependencia y, en lo interior, al ciclo inacabable de la dictadura a la anarquía y de ésta otra vez a la dictadura; también y, sobre todo, se trata de recobrar nuestro verdadero pasado, roto y vendido al otro día de la independencia. América Latina ha sido desmembrada: diecinueve seudonaciones creadas por las oligarquías, los generales y el imperialismo. La modificación de nuestras estructuras sociales y jurídicas y la recuperación del pasado —o sea: la unión latinoamericana— no son dos tareas distintas: son una y la misma. La actual división política de nuestra tierra no corresponde ni a la realidad histórica ni a la económica. Casi ninguno de nuestros países, con excepción de los más extensos, constituye una unidad económica viable. Lo mismo sucede en la esfera de lo político: sólo una asociación libre de toda influencia no latinoamericana puede preservarnos.

No sé si el modelo que adoptarán los pueblos latinoamericanos —en el sentido científico de la palabra modelo— será el de la Revolución de México o el de la de Cuba. Ambos, por razones distintas, me parecen limitados. En verdad, no son modelos sino formas casi accidentales que las circunstancias externas e internas dieron a dos movimientos populares que, en un principio, carecían de ideología precisa. Lo más probable es que los otros pueblos de nuestro continente inventen formas distintas. Ésa es la gran tarea latinoamericana y la que pondrá a prueba la imaginación política de nuestra gente: descubrir formas viables de revuelta o de reforma (según el caso) y crear nuevas instituciones, formas genuinas, nuestras, de asociación humana. Desarrollo no significa progreso cuantitativo únicamente; ante todo es, o debería ser, solución al problema de la convivencia como una totalidad que incluye tanto el trabajo como el ocio, el estar juntos y el estar solos, la libertad individual y la soberanía popular, la comida y la música, la contemplación y el amor, las necesidades físicas, las intelectuales y las pasionales... Insisto en que se trata de una empresa latinoamericana: ninguno de nuestros países podrá salvarse solo. Ni siquiera México, el único efectivamente en vías de desarrollo económico. No dudo que los mexicanos, a pesar del crecimiento demográfico, logremos en unos quince o veinte años más modernizar totalmente al país y convertirnos en lo que se llama una nación desarrollada. No es bastante: el desarrollo no es un fin sino un medio —sobre todo en un mundo de supernaciones y de bloques de Estados. Además, el desarrollo económico y el cambio de estructuras sociales y jurídicas serían inútiles sin la confederación política, sin la asociación latinoamericana. Si fracasamos, seguiremos siendo lo que somos: una región de caza y pesca para los poderosos de mañana, sean como ahora los yanquis o los sucedan los rusos o los chinos.

El tiempo cíclico era fatalista: lo que está abajo estará arriba, el camino de subida es el de bajada. Para romper el ciclo el hombre no tenía más recurso que negar la realidad, la del mundo y la del tiempo. La crítica más radical y coherente fue la de Buda. Pero el budismo, que nació como una crítica del tiempo y de la ilusión de la salvación, se convirtió pronto en una religión y, así, regresó al tiempo circular. En Occidente, el tiempo rectilíneo postuló la identidad y la homogeneidad; por lo primero, negó que el hombre es pluralidad: un yo que es siempre otro, un desemejante semejante que nunca conocemos enteramente y que es nuestro yo mismo; por lo segundo, exterminó o negó a los otros: negros, amarillos, primitivos, proletarios, locos, enamorados —a todos los que, de una manera u otra, eran o se sentían distintos. La respuesta al tiempo circular fue la santidad o el cinismo, Buda o Diógenes; la respuesta al tiempo rectilíneo fue la revolución o la rebelión: Marx o Rimbaud. No sé cuál sea la forma del tiempo nuestro: sé que es una revuelta. Satán no desea la desaparición de Dios: quiere destronarlo, hablar con él de igual a igual. Restablecer la relación original, que no fue sumisión ni aniquilación del otro sino oposición complementaria. El tiempo rectilíneo intentó anular las diferencias, suprimir la alteridad; la revuelta contemporánea aspira a reintroducir la *otredad* en la vida histórica.

Una nueva forma emerge en la confusión presente, una figura en movimiento que se hace y rehace sin cesar. A la manera de los átomos y las células, esa forma es dinámica porque es hija de la oposición fundamental: la relación binaria entre yo y tú, nosotros y ellos. Relación binaria: contradicción: diálogo. En el diálogo está la salud. Gracias a la contradicción, la sociedad industrial recobrará la gravedad, contrapeso necesario de su actual ligereza; y el "tercer mundo" al fin empezará a caminar. No tengo una idea idílica del diálogo: afrontamiento de dos alteridades irreductibles, es más frecuentemente lucha que abrazo. Ese diálogo es la historia: no excluye la violencia pero tampoco es sólo violencia. La revuelta de América Latina no se reduce a lo económico y a lo político; es un movimiento histórico en el sentido más amplio de la palabra, es decir, abarca esos territorios que designa con cierta vaguedad la palabra civilización: un estilo, un lenguaje, una visión. No se equivocaban Rodó y Darío al pensar que había una incompatibilidad esencial entre nosotros y los Estados Unidos. Unos y otros somos brotes excéntricos de Europa; a unos y a otros nos definen distintos pasados y un presente no menos antagónico. Pero la incompatibilidad no depende únicamente de la historia, los sistemas, las ideologías o las técnicas sino de algo irreductible a todo eso —algo que sólo se expresa como símbolo o metáfora: aquello que antes se llamaba el *alma*, la de los hombres y la de las civilizaciones. Peleamos para preservar nuestra alma; hablamos para que el otro la reconozca y para reconocernos en la suya, distinta a la nuestra. Los poderosos conciben la historia como un espejo: ven en el rostro deshecho de los otros —humillados, vencidos o "convertidos"— el esplendor del suyo propio. Es el diálogo de las máscaras, ese doble monólogo del ofensor y del ofendido. La revuelta es la crítica de las máscaras, el comienzo del verdadero diálogo. También es la invención del propio rostro. América Latina empieza a tener cara.

impreso en offset cemont, s. a.
ajusco 96 - méxico 13, d. f.
dos mil ejemplares
29 de diciembre de 1973